Tiempo para comprender

D1511653

María Sánchez Alfaro
Alfredo González Hermoso

edelsa

GRUPO DIDASCALIA, S.A.
Plaza Ciudad de Salta, 3 - 28043 MADRID - (ESPAÑA)
TEL.: (34) 914.165.511 - (34) 915.106.710
FAX: (34) 914.165.411
e-mail: edelsa@edelsa.es
www.edelsa.es

Primera edición: 2002
Primera reimpresión: 2007
Segunda reimpresión: 2009

© Edelsa Grupo Didascalia, S. A., Madrid, 2002.
Autores: María Sánchez Alfaro, Alfredo González Hermoso.

Dirección y coordinación editorial: Departamento de Edición de Edelsa.
Diseño de cubierta: Departamento de Imagen de Edelsa.
Maquetación: Francisco Cabrera Vázquez y Susana Ruiz Muñoz.
Ilustraciones: Julián Hormigos.
Imprenta: Rógar.

ISBN: 978-84-7711-535-9
Depósito legal: M-33493-2009

Impreso en España.
Printed in Spain.

PRESENTACIÓN

El proceso de comprensión auditiva es imprescindible para toda interacción. No se puede interactuar si no se ha comprendido. Para entender, hay que escuchar e interpretar un mensaje.

Tiempo para comprender está dividido en 5 temas con mensajes auténticos extraídos de la vida cotidiana. Son mensajes que un extranjero escucha al llegar a un país: en el aeropuerto, en la estación de tren, en el metro... Los servicios públicos -hospital, ayuntamiento...- y los lugares de ocio -cine, centro comercial...- también forman parte de su entorno. Se ha prestado especial atención a la comunicación telefónica: contestadores, mensajes de móviles... y a las diversas muestras que la radio proporciona.

Al principio de cada tema, antes de escuchar los mensajes, el alumno escucha e identifica las palabras clave que luego encontrará contextualizadas en los mensajes. La tipología de ejercicios tiene en cuenta las estrategias de comprensión y es muy variada (reconocimiento e identificación de palabras, de enlace de palabras, comprensión, transcripción...).

Tiempo para comprender incluye un CD-AUDIO, las transcripciones de los mensajes y las soluciones de los ejercicios al final del libro. Este material puede usarse tanto en el aula como de manera autodidacta.

Los autores

ÍNDICE

TEMA 1
TRANSPORTES **5**

TEMA 2
COMUNICACIÓN TELEFÓNICA **21**

TEMA 3
SERVICIOS **35**

TEMA 4
OCIO Y COMPRAS **49**

TEMA 5
RADIO **61**

TRANSCRIPCIONES Y SOLUCIONES **81**

TEMA 1

AVIÓN

TRANSPORTES

METRO

Antes de los

a. Escuche las palabras siguientes y relaciónelas con la ilustración correspondiente.

1. estación
2. andén
3. coche (metro)
4. pasajero
5. azafata
6. puerta
7. en curva
8. equipaje

a.

b.

c.

d.

e.

f.

g.

h.

b. Relacione las palabras que oye con la definición correspondiente.

1. salida
2. destino
3. vuelo
4. fila
5. pertenencias
6. contratiempo
7. niebla

a. imprevisto
b. paso de dentro a fuera
c. línea formada por personas
d. punto de llegada
e. trayecto del avión
f. acumulación de nubes
g. objetos personales

m e n s a j e s...

c. **Escuche los siguientes verbos y relacione las dos columnas.**

1. rogar	a. transmitir una información
2. informar	b. traer a la memoria
3. recordar	c. pedir como un favor
4. disculpar	d. perdonar
5. interrumpir	e. estar seguro
6. bajar	f. lo contrario de subir
7. asegurarse	g. suspender un proceso

d. **Escuche las palabras siguientes y escriba un sinónimo del recuadro.**

> circulación • aumento • contrariedad • avería • comunicado

1. ampliación: ....
2. aviso: ....
3. molestia: ....
4. incidente técnico: ....
5. tráfico: ....

e. **Elija la respuesta correcta.**

1. retrasar
☐ salir más tarde
☐ llegar al destino
☐ llegar puntual

2. embarcar
☐ bajar de un avión
☐ subir a un avión
☐ facturar el equipaje

4. cancelar
☐ anular
☐ aplazar
☐ esperar

3. despegar
☐ aterrizar
☐ iniciar el vuelo
☐ entrar en el avión

5. tener cuidado
☐ prestar atención
☐ tener miedo
☐ darse prisa

Transcripción y soluciones página 81.

1. SALIDAS

Escuche el mensaje y realice los ejercicios:

1. Señale la palabra que oiga.

❑ vuelo   ❑ huelo   ❑ muelo

2. ¿Qué oye usted? Márquelo.

❑ treinta y siete   ❑ trentisiete   ❑ treintasiete

3. Subraye la o las respuestas correctas.

Se trata de un aviso:
- – De llegada de vuelo.
- – De embarque.
- – De salida de vuelo.
- – A un pasajero retrasado.
- – De retraso de vuelo.

4. Escriba las cinco palabras del mensaje que empiecen por «s».

a. S _ _ _ _ _   *b.* S _ _ _ _ _ _

c. S _ _ _ _

d. S _ _ _ _ _ _   *e.* S _ _ _ _ _ _

5. Señale la respuesta correcta.

a. Compañía aérea		*c.* Número de vuelo	
❑ Libanair			❑ 7300000
❑ Estanair			❑ 61050
❑ Spanair			❑ 7350
b. Puerta de embarque		*d.* Destino	
❑ S 97			❑ Santiago
❑ C 37			❑ Santander
❑ Z 37			❑ Lugo

Vuelva a escuchar el mensaje y compruebe.
Transcripción y soluciones página 81.

2. AVISO

Escuche el mensaje y realice los ejercicios:

1. Separe las palabras que aparecen unidas.

    a. embarquenurgentemente: ....

    b. condestinoParís: ....

2. Marque las vocales que se unen entre palabras.

    a. Último aviso a los señores pasajeros.

    b. Uno siete uno.

    c. Del vuelo Air France.

3. Se trata del:

    ❏ primer aviso.   ❏ último aviso.

    ❏ segundo aviso.   ❏ tercer aviso.

4. El embarque:

    ❏ es muy urgente.   ❏ acaba de empezar.

    ❏ va a empezar en seguida. ❏ ya ha terminado.

5. El avión va a:

    ❏ un aeropuerto español.   ❏ un aeropuerto francés.

    ❏ un aeropuerto inglés.   ❏ un aeropuerto africano.

6. Señale la respuesta correcta.

a. Compañía aérea	❏ Iberia	*c.* Número de vuelo	❏ 9771
	❏ Air Lib		❏ 161
	❏ Air France		❏ 171
b. Puerta de embarque	❏ B 20	*d.* Destino	❏ Madrid
	❏ D 20		❏ París
	❏ C 30		❏ Guadix

Vuelva a escuchar el mensaje y compruebe.
Transcripción y soluciones página 81.

3. EMBARQUE

✈ EMBARQUE

Escuche el mensaje y realice los ejercicios:

1. Marque las vocales que se unen entre palabras.

a. Compañía Aerolíneas.   **b.** Puerta de embarque.

2. Subraye los sonidos que se enlazan.

a. Al embarque.
b. Aerolíneas Argentinas.

3. Señale los términos relacionados con el avión que oiga en el mensaje.

cancelación   azafata   puerta de embarque

aeropuerto   compañía

piloto   pasajeros   billete

4. Hay que ponerse en fila para:

❏ facturar el equipaje.   ❏ embarcar.   ❏ sacar el billete.
❏ pedir información.   ❏ esperar la llegada del avión.

5. Señale la respuesta correcta.

a. Compañía aérea	❏ Airlíneas Argentinas	
	❏ Aereolíneas Argentinas	
	❏ Aerolíneas Argentinas	

b. Número de vuelo	❏ 5374	**c.** Puerta de embarque	❏ A15
	❏ 5034		❏ A5
	❏ 5604		❏ A50

Vuelva a escuchar el mensaje y compruebe.
Transcripción y soluciones página 82.

4. CANCELACIÓN

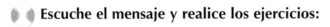 **Escuche el mensaje y realice los ejercicios:**

1. Marque las vocales que se unen entre palabras.

> **a.** El vuelo Iberia.
> **b.** Prevista a las seis.
> **c.** Debido a la intensa.
> **d.** Que el próximo vuelo.
> **e.** Por su atención.

2. ¿Qué oye usted? Señálelo.

❏ Ha sido cancelado.   ❏ Ha ido cancelado.   ❏ Has ido cancelado.

3. Elija la respuesta correcta.

a. Es un mensaje difundido:
❏ en un avión.
❏ en un aeropuerto.
❏ en un tren.

b. El mensaje se oye:
❏ por la mañana.
❏ por la tarde.
❏ por la noche.

c. El problema es:
❏ la niebla.
❏ un retraso.
❏ un incidente técnico.

d. El próximo vuelo será:
❏ a la mañana siguiente.
❏ pasado mañana.
❏ esa misma mañana.

e. Habla la compañía:
❏ Iberia.
❏ Serviberia.
❏ Spanair.

f. El mensaje anuncia:
❏ una avería.
❏ un retraso.
❏ una cancelación.

4. Señale con una cruz Verdadero o Falso.

	V	F
a. El vuelo de las diez de la mañana ha sido cancelado.		
b. Es un vuelo con destino Madrid.		
c. Los pasajeros tienen que esperar cuatro horas.		
d. Hay mucha niebla.		

5. Complete los espacios.

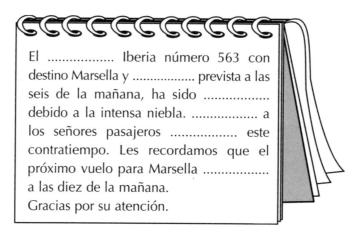

El .... Iberia número 563 con destino Marsella y .... prevista a las seis de la mañana, ha sido .... debido a la intensa niebla. .... a los señores pasajeros .... este contratiempo. Les recordamos que el próximo vuelo para Marsella .... a las diez de la mañana.
Gracias por su atención.

Vuelva a escuchar el mensaje y compruebe.
Transcripción y soluciones página 82.

5. LLEGADAS

Escuche el mensaje y realice los ejercicios:

1. Subraye los sonidos que se enlazan.

a. Con ustedes.   **b.** No dejen olvidado.   **c.** Ningún objeto.

2. Marque las vocales que se unen entre palabras.

a. Estamos llegando a la estación.

b. Recojan todo su equipaje y acérquense a la puerta.

3. Subraye todas las palabras que oiga relacionadas con el equipaje.

pertenencias   mochila   equipaje

objeto personal

bolsa   maleta

4. Complete los espacios con las palabras del recuadro.

pasajeros
puerta
bajar
estación
equipaje
olvidado
objeto

Antes de .... del tren, los .... deben recoger todo el .... y acercarse a la .... de salida. No deben dejar .... ningún .... personal. El tren va a parar en la .... de Almería.

5. Subraye la forma que oiga.

a. estamos llegando	están llegando
b. asegúrese	asegúrense
c. con ustedes	con usted
d. no deje	no dejen
e. recojan	recoja
f. acérquese	acérquense

Vuelva a escuchar el mensaje y compruebe.
Transcripción y soluciones página 82.

6. RETRASOS

Escuche el mensaje y realice los ejercicios:

1. Señale lo que oiga.

❑ Efectuara su llegada.
❑ Efectuará su llegada.
❑ Efectuar a su llegada.

2. Subraye la frase que oiga.

a. Debida a un incidente.   *b.* Debido a un incidente.   *c.* Debido a un accidente.

3. Relacione los elementos de las dos columnas.

Incidente	Alicante
Tren	de retraso
Destino	las molestias
Disculpen	Talgo
45 minutos	técnico

4. ¿Qué oye usted? Señálelo.

a. ❑ procedente   ❑ precedente
b. ❑ entrada   ❑ llegada
c. ❑ pasajeros   ❑ viajeros
d. ❑ rogamos   ❑ notamos
e. ❑ efectuará   ❑ entrará

5. Subraye la respuesta correcta.

a. El tren llegará a	Alicante	La Junquera	Antequera
b. El tren llegará	puntual	con un poco de retraso	con mucho retraso
c. El Talgo tiene	casi una hora de retraso	poco más de un cuarto de hora	dos horas
d. A los viajeros se les avisa del retraso	antes de subir al tren	durante el viaje	cuando empieza el viaje
e. Ha habido	un accidente	un incidente técnico	una huelga de técnicos

Vuelva a escuchar el mensaje y compruebe.
Transcripción y soluciones páginas 82 y 83.

7. AVISO

Escuche el mensaje y realice los ejercicios:

1. Marque las vocales que se unen entre palabras.

   a. La próxima estación.   **b.** Está en curva.   **c.** Coche y andén.

2. Subraye la frase que oiga.

   a. No introducir el mensaje.   **b.** No introducir el pie.   **c.** No traducir a pie.

3. Señale con una cruz Verdadero o Falso.

	V	F
a. El mensaje nos da el nombre de la estación.		
b. La estación está en obras.		
c. Nos informa de la forma de la estación.		
d. La estación está en línea recta.		
e. La estación está en curva.		

4. Subraye las palabras que oiga.

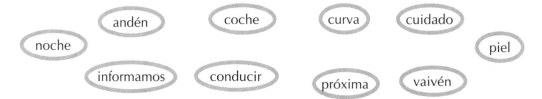

andén   coche   curva   cuidado

noche   piel

informamos   conducir   próxima   vaivén

5. Complete los espacios.

.... recordamos que la .... estación .... en curva. Al salir .... cuidado .... no introducir el pie .... coche y andén.

Vuelva a escuchar el mensaje y compruebe.
Transcripción y soluciones página 83.

8. AVISO

Escuche el mensaje y realice los ejercicios:

1. ¿Qué oye usted? Señálelo.

❏ Está prohibido.
❏ Está proveído.
❏ Está próvido.

2. Subraye los sonidos que se enlazan.

a. Los señores.

b. Fumar en.

c. Las instalaciones.

3. Tema del aviso. Subraye la respuesta correcta.

a. Interrupción de una línea.

b. Aviso de huelga.

c. Derechos de los viajeros.

d. Deberes de los viajeros.

e. Horarios del metro.

4. ¿Qué está prohibido?

❏ Hablar.   ❏ Cantar.   ❏ Fumar.

   ❏ Bailar.   ❏ Saltar.

5. Señale con una cruz los lugares en los que está prohibido fumar.

❏ En los pasillos del metro.
❏ En los vagones del metro.
❏ En las escaleras del metro.
❏ En las taquillas del metro.

Vuelva a escuchar el mensaje y compruebe.
Transcripción y soluciones página 83.

9. INFORMACIÓN

🔊 **Escuche el mensaje y realice los ejercicios:**

1. Separe las palabras que aparecen unidas.

a. queenlalínea: ....

b. entrelasestaciones: ....

c. elserviciosehalla: ....

2. ¿Qué oye usted?

❏ Por mejoras y ampliación.
❏ Por mejora sí ampliación.
❏ Por mejor así ampliación.

3. Elija la respuesta correcta.

***a.* Es un mensaje difundido:**

❏ en el tren.
❏ en el metro.
❏ en el autobús.

***b.* Estamos en la ciudad de:**

❏ Madrid.
❏ Valladolid.
❏ Alcañiz.

***c.* Se trata de la línea:**

❏ 100.
❏ 10.
❏ B.

***d.* Esa línea:**

❏ ha sido suprimida.
❏ funciona sólo los fines de semana.
❏ está en obras.

***e.* El servicio está interrumpido entre las estaciones de:**

❏ Madrid y Plaza de Ocaña.
❏ Chamartín y Casa de España.
❏ Chamartín y Plaza de España.

4. ¿Cuántas veces oye?

a. Señores: ....

b. Metro: ....

c. Viajeros: ....

d. Servicio: ....

e. Interrumpido: ....

5. Complete los espacios.

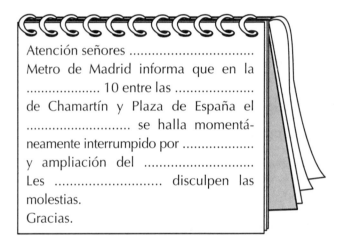

Atención señores ....
Metro de Madrid informa que en la
.... 10 entre las ....
de Chamartín y Plaza de España el
.... se halla momentá-
neamente interrumpido por ....
y ampliación del ....
Les .... disculpen las
molestias.
Gracias.

Vuelva a escuchar el mensaje y compruebe.
Transcripción y soluciones página 83.

10. AVISO

Escuche el mensaje y realice los ejercicios:

1. Marque las vocales que se unen entre palabras.

a. Bienvenido al servicio.   *b.* Que en breves momentos.

c. Le atenderemos.

2. ¿Qué oye usted?

❏ Manténgase a la pera.   ❏ Manténgase a la espera.

❏ Manténgase a las peras.

3. Elija la respuesta correcta.

a. **¿Quién contesta?**

❏ Un taxista particular.   ❏ Un servicio común a varios taxistas.

b. **¿Qué tenemos que hacer?**

❏ Volver a llamar un poco más tarde.   ❏ Esperar.

❏ Marcar otro número.

c. **¿A cuántas personas va dirigido el mensaje?**

❏ A una sola.   ❏ A varias.

4. Busque en el mensaje un sinónimo de "permanezca":

.............................……………………….

5. Subraye lo que oiga en el mensaje.

a. las	la	al
b. a	por	para
c. de	en	del
d. les	le	el

6. Complete los espacios.

.... al ....
de Radio Taxi. Manténgase a la
.............................., que en breves
.... le atenderemos.

Vuelva a escuchar el mensaje y compruebe.
Transcripción y soluciones página 84.

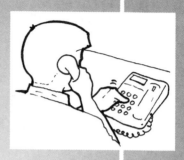

TELÉFONO

COMUNICACIÓN TELEFÓNICA

MENSAJES

a. **Escuche las palabras siguientes y relaciónelas con la ilustración correspondiente.**

1. teléfono

2. número de teléfono

3. móvil

4. contestador/buzón de voz

5. pulsar/marcar

b. **Escuche los siguientes verbos o expresiones y relaciónelos con los de la columna de la derecha.**

1. conservar	a. hacer desaparecer
2. cambiar	b. guardar
3. borrar	c. modificar
4. recibir (un mensaje)	d. regresar
5. tomar nota	e. escuchar
6. volver	f. apuntar

mensajes...

c. **Escuche las palabras siguientes y escriba un sinónimo del recuadro.**

lengua • desaparecido • código para entrar •
momento de la comunicación • sonido para avisar de algo •
razón de la comunicación • noticia

1. el mensaje: ....
2. la clave de acceso: ....
3. la hora de aviso: ....
4. el idioma: ....
5. la señal: ....
6. el motivo de su llamada: ....
7. ausente: ....

d. **Elija la respuesta correcta.**

La línea o el teléfono puede estar:

1. fuera de cobertura
☐ fuera de la red comercial
☐ sin sonido
☐ fuera del alcance de las antenas de telecomunicaciones

2. apagado
☐ que no puede llamar
☐ el timbre es poco fuerte o intenso
☐ fuera de funcionamiento

3. ocupado
☐ comunicando
☐ estropeado
☐ lleno

4. con sobrecarga
☐ con incremento de precio
☐ saturado
☐ fuera de cobertura

Transcripción y soluciones página 84.

1. SOBRECARGA

Escuche el mensaje y realice los ejercicios:

1. ¿Qué oye usted? Señálelo.

❑ Telefónica la forma.   ❑ Telefónica informa.   ❑ Telefónica le informa.

2. Separe las palabras que aparecen unidas.

a. enestosmomentoshay: ....

b. vuelvaamarcar: ....

c. teléfonoalquellama: ....

3. Señale con una cruz Verdadero o Falso.

	V	F
a. Habla un contestador personal.		
b. El mensaje lo da una compañía telefónica.		
c. El número al que llamamos está equivocado.		
d. El número está comunicando.		
e. Hay sobrecarga en la red.		

4. Numere las siguientes palabras de 1 a 15, en el orden en que las oiga.

unos   vuelva   momentos   minutos   llama   informa   estos
❑   ❑   ❑   ❑   ❑   ❑   ❑

pasados   hay   la   le   privada   de   a   red
❑   ❑   ❑   ❑   ❑   ❑   ❑   ❑

5. Identifique en el mensaje:

a. Un nombre propio: ....

b. Un verbo en primera persona del plural: ....

c. Una palabra compuesta: ....

d. Un sinónimo de "después de unos momentos": ....

e. Un verbo impersonal: ....

Vuelva a escuchar el mensaje y compruebe.
Transcripción y soluciones página 84.

2. CAMBIO DE NÚMERO

Escuche el mensaje y realice los ejercicios:

1. Marque las vocales que se unen entre palabras.

    a. Le informa.   *b.* De que el número al que.   *c.* Usted llama ha cambiado.

2. ¿Qué número oye usted? Señálelo.

    ❏ 979850314.   ❏ 978950314.   ❏ 979805314.

3. Subraye la respuesta correcta.

    a. El número de teléfono al que se llama está averiado ▮ ha cambiado.

    b. El número de teléfono empieza por un número par ▮ impar.

    c. El número de teléfono tiene 9 dígitos ▮ 8.

    d. El nuevo número lleva dos sietes ▮ un solo siete.

    e. El nuevo número de teléfono nos lo proporciona información ▮ nos lo da directamente el contestador.

4. Escriba.

    a. Cuatro palabras que empiezan por "t":
    ....

    b. Cuatro palabras que empiezan por "c":
    ....

    c. Cuatro palabras que empiezan por "n":
    ....

    d. Dos palabras que empiezan por "u":
    ....

5. Complete los espacios.

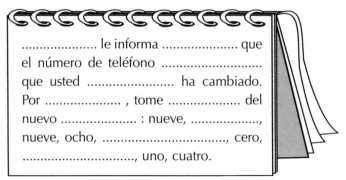

.... le informa .... que el número de teléfono .... que usted .... ha cambiado. Por .... , tome .... del nuevo .... : nueve, ..., nueve, ocho, ..., cero, ..., uno, cuatro.

Vuelva a escuchar el mensaje y compruebe.
Transcripción y soluciones página 85.

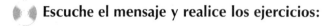

3. NÚMERO ERRÓNEO

Escuche el mensaje y realice los ejercicios:

1. ¿Qué oye usted? Márquelo.

❏ Con esa numeración.   ❏ Con esa remuneración.   ❏ Con esa mediación.

2. Subraye las vocales que se unen.

a. De que actualmente.   *b.* No existe.   *c.* Ninguna línea en servicio.

3. ¿Cuál es el problema? Subraye la(s) respuesta(s) correcta(s).

a. No se puede establecer la comunicación.

b. El número marcado tal vez haya cambiado.

c. El número al que llamamos está comunicando.

d. La línea a la que llamamos no existe.

e. Nuestra línea no funciona bien.

4. Complete el mensaje.

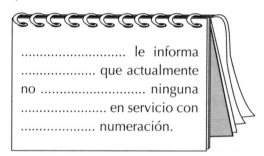

.... le informa .... que actualmente no .... ninguna .... en servicio con .... numeración.

5. Complete las frases según el mensaje. Utilice los elementos del recuadro.

línea • servicio • averiada • numeración • establece

a. Ese número no está en ....

b. Tal vez la línea esté ....

c. La comunicación no se ....

d. La .... no existe.

e. La .... no es correcta.

Vuelva a escuchar el mensaje y compruebe.
Transcripción y soluciones página 85.

4. SIN COMUNICACIÓN

Escuche el mensaje y realice los ejercicios:

1. ¿Qué oye usted? Márquelo.

❏ Está parado.   ❏ Está apagado.   ❏ Está pagado.

2. Separe las palabras que aparecen unidas.

    a. móvilalquellama: ....

    b. apagadoofuera: ....

    c. enestemomento: ....

3. Señale con una cruz Verdadero o Falso.

	V	F
a. Usted está llamando por teléfono.		
b. Le llaman a usted por teléfono.		
c. La llamada puede efectuarse desde una cabina telefónica.		
d. Están llamando a un teléfono fijo.		
e. Están llamando a un móvil.		

4. Agrupe las palabras por parejas en el orden en que las escuche.

móvil • en este • apagado • fuera de • teléfono • está • cobertura • momento

    a. ....

    b. ....

    c. ....

    d. ....

5. Escriba la palabra que corresponde a cada definición.

    a. Teléfono que se puede llevar encima: ....

    b. Teléfono con cable, que suele tenerse en casa: ....

    c. Si el teléfono no tiene batería o si está apagado, está ....

    d. Si salta el contestador, podemos dejar un ....

Vuelva a escuchar el mensaje y compruebe.
Transcripción y soluciones página 85.

5. AVISO DE MENSAJE

Escuche el mensaje y realice los ejercicios:

1. ¿Qué oye usted? Márquelo.

❏ Recibidor treinta.
❏ Recibido el treinta.
❏ Recibida el treinta.

2. Subraye los sonidos que se unen.

a. Tiene un mensaje.

b. Número uno.

c. Treinta de mayo a las.

d. Veintidós horas.

3. ¿Quién habla en el mensaje? Subraye la respuesta correcta.

a. Un particular.

b. La persona a la que llaman.

c. Un servicio contestador.

4. Complete las siguientes frases.

a. He .... un mensaje.

b. Lo escucho por primera vez, es un mensaje ....

c. El mensaje lo han dejado por la ....

5. Ordene las frases como en el mensaje. Numérelas de 1 a 3.

a. ☐ Las 22 horas 28 minutos.

b. ☐ Tiene un mensaje nuevo.

c. ☐ Recibido el treinta de mayo.

Vuelva a escuchar el mensaje y compruebe.
Transcripción y soluciones página 85.

6. INSTRUCCIONES

Escuche el mensaje y realice los ejercicios:

1. ¿Qué oye usted? Márquelo.

- ❏ No ahí más mensajes.
- ❏ No hay más mensajes.
- ❏ No ha y más mensajes.

2. Separe las palabras que aparecen unidas.

a. volveraescuchar: ....

b. escucharelmensaje: ....

c. pulseuno: ....

3. Complete la expresión con la palabra que corresponda.

Marcar • Sobrecarga • Contestar • Establecer • Pulsar • Escuchar

a. .... una tecla.   **d.** .... al teléfono.

b. .... un número.   **e.** .... la comunicación.

c. .... un mensaje.   **f.** .... en la red.

4. ¿Qué se puede hacer con el mensaje recibido?

1: ....
2: ....
3: ....

5. Relacione las dos columnas.

a. Quiero borrar el mensaje.   Pulso 1
b. Quiero guardar el mensaje.   Pulso 2
c. Quiero volver a escuchar el mensaje.   Pulso 3

Vuelva a escuchar el mensaje y compruebe.
Transcripción y soluciones página 86.

7. INSTRUCCIONES

🔊 **Escuche el mensaje y realice los ejercicios:**

1. ¿Qué oye usted? Márquelo.

❏ Para raciones sobra hora.
❏ Para acciones sobre la hora.
❏ Las reacciones se abren ahora.

2. Señale la frase que oiga.

❏ La clave de acceso.   ❏ La clava eso.   ❏ La calva de acceso.

3. Señale con una cruz Verdadero o Falso.

	V	F
a. Las instrucciones proceden de un contestador telefónico.		
b. El contestador da el número de mensajes que se han recibido.		
c. Hoy se han recibido cuatro mensajes.		
d. Nos dice cómo borrar un mensaje.		
e. Para modificar el mensaje es necesaria la clave de acceso.		

4. Complete las frases.

a. Pulsando 1, puede modificar ....
b. Pulsando 2, puede modificar ....
c. Pulsando 3, puede modificar ....
d. Pulsando 4, puede modificar ....

5. Escriba qué números tiene que marcar para:

a. Modificar la lengua: ....
b. Indicar la hora de aviso: ....
c. Modificar el mensaje de su contestador personal: ....
d. Modificar la clave de acceso: ....

🔊 **Vuelva a escuchar el mensaje y compruebe.**
Transcripción y soluciones página 86.

8. MENSAJE EN UN CONTESTADOR

Escuche el mensaje y realice los ejercicios:

1. ¿Qué oye usted? Señálelo.

❏ No lo puedo tender.   ❏ No le puedo atender.   ❏ No le puedo detener.

2. Separe las palabras que aparecen unidas.

a. enestemomento: ....

b. nolepuedoatender: ....

c. despuésdeoír: ....

3. Complete las frases.

a. El teléfono al que ha llamado es de Madrid, pues todos los números de teléfono fijos de esa ciudad empiezan por ....

b. Los dos últimos números del teléfono son ....

c. La persona a la que ha llamado no puede ....

d. Usted puede dejarle un mensaje en el ....

e. Antes de grabar el mensaje, tiene que esperar la ....

4. Señale con una cruz Verdadero o Falso.

	V	F
a. La persona a la que ha llamado contestará dentro de un momento.		
b. Es un mensaje grabado por un particular.		
c. En estos momentos está ocupada o no está en casa.		
d. Usted puede borrar el mensaje después de la señal.		
e. Si quiere decirle algo, tiene que dejar un mensaje.		

5. Complete los espacios.

.... llamado al _1 _ _9 9 _ 4_. En .... momento no le puedo .... Si lo ...., puede .... un .... después de oír la .... Gracias.

Vuelva a escuchar el mensaje y compruebe.
Transcripción y soluciones página 86.

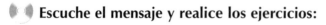

9. MENSAJE EN UN CONTESTADOR

🔊 **Escuche el mensaje y realice los ejercicios:**

1. ¿Qué oye usted? Señálelo.

❏ Grane sus mensajes.   ❏ Grande su mensaje.   ❏ Grabe su mensaje.

2. Subraye los sonidos que se unen.

    a. Bienvenido al buzón.   ***b.*** No está disponible.

3. Subraye las palabras que oiga en el mensaje.

4. Coloque la expresión en la columna correspondiente.

Teléfono fijo	Teléfono móvil

    a. Buzón de voz
    b. Números que empiezan por 600
    c. Números cuyo prefijo empieza por 91
    d. Contestador personal
    e. Fuera de cobertura

5. Ordene el mensaje y complete el número de teléfono.

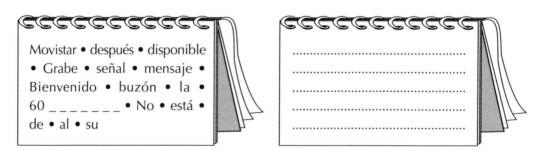

Movistar • después • disponible • Grabe • señal • mensaje • Bienvenido • buzón • la • 60 _ _ _ _ _ _ _ • No • está • de • al • su

🔊 **Vuelva a escuchar el mensaje y compruebe.**
Transcripción y soluciones página 86.

10. MENSAJE EN UN CONTESTADOR

 Escuche el mensaje y realice los ejercicios:

1. ¿Qué oye usted?

❑ Y motivo de la llamada.
❑ El motín de la llamada.
❑ El motivo de la amada.

2. Marque las vocales que se unen entre palabras.

a. Este es.

b. Estoy ocupado.

c. No puedo atenderle.

d. cuando oiga

e. lo antes

3. Elija la(s) respuesta(s) correcta(s).

a. **Estamos oyendo:**

❑ un contestador privado.
❑ un contestador público.
❑ un buzón de voz (de un móvil).

b. **El número de teléfono al que llama es el:**

❑ 985 89 97 70. ❑ 744 67 96 78. ❑ 944 87 98 78.

c. **La persona que contesta:**

❑ no está en casa. ❑ tal vez esté en casa. ❑ ha cogido el teléfono.

d. **La persona que contesta:**

❑ es un hombre.
❑ es una mujer.
❑ no sabemos si es hombre o mujer.

e. **En ese contestador:**

❑ no se puede dejar un mensaje.
❑ se puede dejar un mensaje después de la señal.
❑ se puede dejar un mensaje en cualquier momento.

4. Complete las frases del mensaje.

> ***a.*** En este momento .... atenderle.
>
> ***b.*** Deje .... señal.
>
> ***c.*** Le llamaré .... Gracias.

5. Señale con una cruz Verdadero o Falso.

	V	F
a. Si deja sus datos en el mensaje, le llamarán.		
b. En el contestador, la señal significa que ya se ha acabado el tiempo.		
c. Sabemos cuándo vuelve la persona que ha dejado el mensaje.		
d. No sabemos dónde está.		
e. Sabemos que está ocupada o que ha salido.		

Vuelva a escuchar el mensaje y compruebe.
Transcripción y soluciones página 87.

GASOLINERA

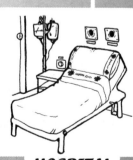

SERVICIOS

HOSPITAL

● ●

A n t e s   d e   l o s

a. **Escuche las palabras siguientes y relaciónelas con la ilustración correspondiente.**

1. surtidor de gasolina súper

2. sin plomo

3. despertador

4. habitación (hospital)

5. tecla asterisco (teléfono)

6. Documento Nacional de Identidad

a.

c.

d.

b.
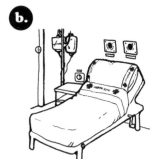

e.

f.

b. **Relacione las palabras que oye con la definición correspondiente.**

1. la extensión
2. saturación de líneas
3. reservas
4. venta
5. gestiones
6. cuenta

a. atribución exclusiva
b. línea conectada a una centralita
c. sobrecarga de la red telefónica
d. acciones para conseguir algo
e. cesión de algo
f. número de un cliente en un banco

m e n s a j e s...

c. **Escuche los siguientes verbos y relacione las dos columnas.**

1. pasar por caja
2. estar al habla
3. recordar
4. ser avisado
5. atender
6. esperar

a. traer a la memoria
b. pagar
c. estar en comunicación
d. ocuparse de alguien
e. ser informado
f. aguardar

d. **Escuche las palabras siguientes y escriba un sinónimo del recuadro.**

el agente • solicitud • anuncio • repostar

1. echar gasolina: ....
2. la operadora: ....
3. petición: ....
4. aviso: ....

e. **Elija la respuesta correcta.**

1. fundación
- ☐ institución con fines benéficos
- ☐ lugar para fundir metales
- ☐ realizar una función

2. drogadicción
- ☐ establecimiento de productos
- ☐ dependencia de alguna droga
- ☐ sustancia prohibida

3. mensajería
- ☐ servicio de noticias
- ☐ servicio de mensajes
- ☐ servicio de reparto de mensajes

4. oficina de información
- ☐ conjunto de noticias
- ☐ lugar donde se consigue información
- ☐ lugar de transmisión de mensajes

Transcripción y soluciones página 87.

1. GASOLINERA

Escuche el mensaje y realice los ejercicios:

1. Marque la frase que oiga.

❏ Ha estado usted.   ❏ Ha echado usted.   ❏ Ha entrado usted.

2. ¿Qué oye usted? Señálelo.

❏ Pasar por la cara.   ❏ Pasar por coja.   ❏ Pasar por caja.

3. Elija la respuesta correcta.

a. ¿Qué tipo de gasolina ha echado usted?:

❏ gasolina súper.
❏ gasolina sin plomo.
❏ gasoil.

b. Forma de pago:

❏ en el cajero automático de la gasolinera.
❏ en caja al salir de la gasolinera.

c. Su surtidor:

❏ es el número cinco.
❏ no tiene número.
❏ es el número quince.

4. Complete las frases con palabras que encontrará en el mensaje y en los ejercicios.

a. He echado .... al coche.

b. La gasolina sale del ....

c. Repostar es .... gasolina.

d. Para ello, tiene que ir a una ....

5. Subraye las palabras que no correspondan al mensaje.

ha • repostado • usted • gasoil • sin • plomo • no • olvide •
pagar • por • caja • y • que • su • número • de • distribuidor
• es • el • 5 • muchas • gracias • y • muy • buen • viaje •

Vuelva a escuchar el mensaje y compruebe.
Transcripción y soluciones página 87.

2. AYUNTAMIENTO

Escuche el mensaje y realice los ejercicios:

1. Señale la frase que oiga.

❏ Está usted al habla.   ❏ Este te alaba.   ❏ Estudie usted el habla.

2. ¿Qué frase oye?

❏ La operadora le atenderá.   ❏ La operación, la tendrá.

❏ La ópera de ahora se detendrá.

3. Subraye la palabra o expresión que escuche.

a. arrendamiento	ayuntamiento
b. extensión	excepción
c. al habla	a la espera
d. calculadora	operadora
e. márquela	anótela

4. Señale con una cruz Verdadero o Falso.

	V	F
a. Si no quiere esperar, tiene que marcar la extensión.		
b. La operadora es una doctora.		
c. Ha llamado a un Centro de Salud.		
d. Ayuntamiento es sinónimo de Casa Consistorial.		
e. Murcia es nombre de ciudad, provincia y Comunidad.		

5. Complete los espacios.

.... usted al habla
con .... Ayuntamiento
de .... Si ....
la extensión, márquela. Si no,
.... ; la operadora
le ....

Vuelva a escuchar el mensaje y compruebe.
Transcripción y soluciones página 88.

3. EMPRESA

Escuche el mensaje y realice los ejercicios:

1. ¿Qué frase oye?

❏ Continúe la espera.   ❏ Continúe a la espera.   ❏ Continúe a la pera.

2. Marque las vocales que se unen entre palabras.

a. Bienvenido al teléfono.
b. De Iberdrola.

3. Subraye la respuesta correcta.

a. **¿De quién es el teléfono?**

❏ Del teniente.   ❏ Del suplente.
❏ Del dependiente.   ❏ Del paciente.   ❏ Del cliente.

b. **Ha llamado usted a:**

❏ Ibercola.   ❏ Ibeltrola.   ❏ Riberola.
❏ Iberdrola.   ❏ Diberdrola.

c. **Contestan que:**

❏ volvamos a llamar.   ❏ están comunicando.   ❏ colguemos.
❏ la oficina está cerrada hoy.   ❏ esperemos.

4. Complete las frases del mensaje.

a. Bienvenido al ....
b. En estos momentos, ...
c. Le rogamos que ....

5. ¿Cuál de estas frases es la que corresponde al mensaje?

❏ Todos nuestros agentes están ocupados.
❏ Todos nuestros gentes están ocupados.
❏ Toda nuestra gente está ocupada.
❏ Todo nuestro agente está ocupado.
❏ Todas nuestras gentes están ocupadas.

Vuelva a escuchar el mensaje y compruebe.
Transcripción y soluciones página 88.

4. TELÉFONO DE AYUDA

Escuche el mensaje y realice los ejercicios:

1. Marque las vocales que se unen entre palabras.

a. Está usted.

b. Llamando a.

c. De ayuda.

d. Vuelva a llamar.

2. ¿Qué oye usted?

❏ Función de deuda.

❏ Fundación de ayuda.

❏ Fundición de duda.

3. Es un teléfono de ayuda contra:

❏ la droga.

❏ la delincuencia.

❏ el tabaco.

❏ la inseguridad.

❏ los malos tratos.

4. Señale con una cruz Verdadero o Falso.

	V	F
a. Tenemos que esperar.		
b. El teléfono está comunicando.		
c. Las líneas están saturadas.		
d. Nos hemos equivocado de número.		
e. Tenemos que volver a llamar.		

5. Escriba las 3 palabras terminadas en "ción".

a. ....

b. ....

c. ....

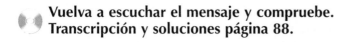

Vuelva a escuchar el mensaje y compruebe.
Transcripción y soluciones página 88.

5. DESPERTADOR

🔊 **Escuche el mensaje y realice los ejercicios:**

1. ¿Qué oye usted? Señálelo.

❏ Cuatro cifras. ❏ Dentro fibras. ❏ Cuatro ristras.

2. Separe las palabras que aparecen unidas.

a. avisoydespertador: ....

b. lahorayminutos: ....

c. graciasybuenviaje: ....

3. Se trata de un servicio:

❏ despertador. ❏ de aviso. ❏ de aviso y despertador.
❏ avisador. ❏ de anuncio.

4. Señale con una cruz Verdadero o Falso.

	V	F
a. Hay que marcar la hora con seis cifras.		
b. También hay que marcar los minutos.		
c. No es necesario marcar los segundos.		
d. Hay que marcar dos cifras para la hora y dos para los minutos.		

5. Complete los espacios con las palabras del recuadro.

despierta
servicio
avisa
hora
Telefónica

Este .... de ....
nos .... o nos
.... a la ....
que queramos.

6. ¿Con qué dos palabras le confirman al final del mensaje que ha marcado bien y que le avisarán a la hora solicitada?

a. .... **b.** ....

🔊 **Vuelva a escuchar el mensaje y compruebe.**
Transcripción y soluciones página 88.

6. HOSPITAL

Escuche el mensaje y realice los ejercicios:

1. Subraye la frase que oiga.

❏ Ha llamado usted.   ❏ Ha hablado usted.   ❏ Ha clamado usted.

2. Separe las palabras que aparecen unidas.

a. leatenderemos: ....

b. sideseahablar: ....

c. marqueelnúmero: ....

3. Busque en el mensaje.

a. Lo contrario de "indirectamente": ....

b. Un sinónimo de "quiere": ....

c. Otra forma de decir "está usted en comunicación con": ....

d. Otra forma de decir "dentro de poco", "en breve": ....

e. Cuatro palabras que empiecen por "h": ....

4. ¿Cómo se llama el hospital al que ha llamado?

❏ Virginia Lavega.   ❏ Virgen de la Vela.   ❏ Virginia de la Vega.
❏ Virginia de la Vera.   ❏ Virgen de la Vega.

5. Complete los espacios.

> Ha .... usted ....
> Hospital Virgen de la Vega. En
> unos .... le ....
> Si .... hablar directa-
> mente con una ....,
> .... el número. Gracias.

Vuelva a escuchar el mensaje y compruebe.
Transcripción y soluciones página 89.

7. AGENCIA DE VIAJES

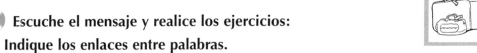

🔘 **Escuche el mensaje y realice los ejercicios:**

1. Indique los enlaces entre palabras.

    a. En breves instantes.

    b. Por un agente.

    c. La dirección que nos indique.

2. ¿Qué oye usted? Señálelo.

    ❏ Gracias por llamara Serviberia.   ❏ Gracias por la mar a Serviberia.
        ❏ Gracias por llamar a Serviberia.

3. Elija la respuesta correcta.

    a. **¿Quién habla?**

        ❏ Un contestador.   ❏ Una persona.

    b. **¿Dónde hemos llamado?**

        ❏ A un aeropuerto.   ❏ A una estación de autobuses.
        ❏ A una estación de trenes.   ❏ A una agencia de Iberia.

    c. **¿Cómo se llama?**

        ❏ Rediberia.   ❏ Serliberia.
        ❏ Redibérica.   ❏ Serviberia.

    d. **¿Qué es Iberia?**

        ❏ Una línea de autobuses.   ❏ Una compañía aérea.
        ❏ Una cadena de agencias de viaje.   ❏ Un tren de alta velocidad.

4. ¿Qué servicios telefónicos ofrece Serviberia?

    a. ....   *b.* ....   *c.* ....

5. Relacione las dos columnas.

    a. Comprando el billete por teléfono   *1.* un agente
    b. Será atendido por   *2.* solicitar información
    c. Llame a Serviberia   *3.* se lo envían gratis
    d. También puede   *4.* para reservar su billete
    e. La venta del billete   *5.* puede ser telefónica

🔘 **Vuelva a escuchar el mensaje y compruebe.**
Transcripción y soluciones página 89.

8. COMPAÑÍA DE SEGUROS

Escuche el mensaje y realice los ejercicios:

1. ¿Qué oye usted?

❏ Realizar sus gestiones.   ❏ Legalizar sus cuestiones.

❏ Idealizar sus inversiones.

2. Señale los enlaces entre palabras.

a. Está usted.   *b.* Nuestro horario de oficina.   *c.* Lunes a viernes.

3. Señale con una cruz Verdadero o Falso.

	V	F
a. Ha llamado usted a una empresa aseguradora de coches.		
b. La oficina abre los sábados por la tarde.		
c. Los demás días, abre de ocho a una.		
d. Pueden hacer gestiones por teléfono.		
e. La oficina está cerrada los domingos.		
f. La compañía de seguros es de Madrid.		

4. Subraye las palabras que oiga.

comunicación   alzar   lunes   mutualidad

miércoles   gestiones

jueves   martes   horario   contestador

5. Complete los espacios.

Está .... en comunicación con Mutua .... Automovilista. .... horario de oficina .... el que podemos realizar .... gestiones por teléfono .... de ocho a .... de lunes a viernes; los sábados de .... a una. Muchas gracias.

Vuelva a escuchar el mensaje y compruebe.
Transcripción y soluciones página 89.

9. BANCA TELEFÓNICA

Escuche el mensaje y realice los ejercicios:

1. ¿Qué oye usted? Márquelo.

❑ Código la acceso ❑ Código de peso ❑ Código de acceso

2. Separe las palabras que parecen unidas.

a. bienvenidoaBankinter: ....

b. marqueahorael: ....

c. teclaasterisco: ....

3. Escriba:

a. El nombre del banco:
....

b. El nombre de la persona:
....

c. Las palabras del mensaje que corresponden a las siglas DNI:
....

d. Expresión de cortesía repetida en el mensaje:
....

4. Numere las etapas del mensaje de 1 a 5.

a. Comunicarnos el importe de la cuenta.

b. Pulsar la tecla asterisco.

c. Dar la bienvenida el banco.

d. Pedir el número del DNI.

e. Marcar el código de acceso.

5. ¿A qué corresponden los números que hay que marcar para acceder a Banca telefónica?

a. ....

b. ....

Vuelva a escuchar el mensaje y compruebe.
Transcripción y soluciones páginas 89 y 90.

10. HOTEL

Escuche el mensaje y realice los ejercicios:

1. ¿Que oye usted? Señálelo.

❏ Y espera línea.
❏ Si es para línea.
❏ Y espere línea.

2. Marque el enlace entre palabras.

a. Llamar a Sol-Meliá.

c. Nacional o internacional.

b. Efectuar una reserva.

d. Breves instantes atenderemos.

3. Elija la respuesta correcta.

a. **Quiere reservar un viaje, por lo que:**

❏ pulsa 3.   ❏ pulsa 1.   ❏ pulsa 2.

b. **Después de pulsar,**

❏ espera línea.
❏ elige otra opción.
❏ le atienden inmediatamente.

4. Relacione las dos columnas.

a. Llamar a   *1.* tipo de información
b. Efectuar   *2.* su llamada
c. Departamento   *3.* una reserva
d. Cualquier otro   *4.* Sol-Meliá
e. Atenderemos   *5.* nacional o internacional

5. Escriba cuatro palabras en las que oiga el sonido "ci".

a. ....   *c.* ....

b. ....   *d.* ....

Vuelva a escuchar el mensaje y compruebe.
Transcripción y soluciones página 90.

TEMA 4

CINE

OCIO Y COMPRAS

CENTRO COMERCIAL

a. Escuche las palabras siguientes y relaciónelas con la ilustración correspondiente.

1. centro comercial

2. precio

3. rebajas

4. caja central

5. deportes

6. marcas

a.

b.

c.

d.

e.

f.

m e n s a j e s...

b. **Relacione las palabras que oye con la definición correspondiente.**

1. descuento
2. encargado
3. dinero
4. programación
5. número de opción

a. responsable
b. rebaja
c. horario de películas
d. número seleccionado
e. billetes y monedas

c. **Escuche los siguientes verbos y relacione las dos columnas.**

1. acudir
2. devolver
3. satisfacer
4. cerrar
5. disfrutar
6. divertirse

a. cambiar
b. sentir placer
c. pasárselo bien
d. terminar la venta
e. contentar
f. ir a un lugar

d. **Elija la respuesta correcta.**

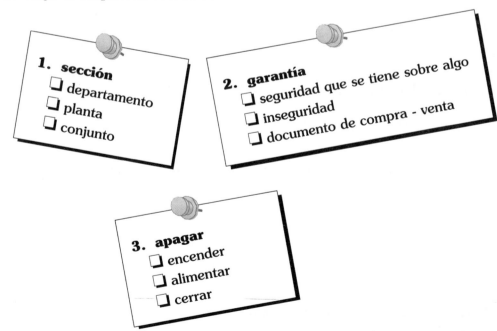

1. sección
- ☐ departamento
- ☐ planta
- ☐ conjunto

2. garantía
- ☐ seguridad que se tiene sobre algo
- ☐ inseguridad
- ☐ documento de compra - venta

3. apagar
- ☐ encender
- ☐ alimentar
- ☐ cerrar

Transcripción y soluciones página 90.

1. REBAJAS

Escuche el mensaje y realice los ejercicios:

1. ¿Qué oye usted? Señálelo.

❑ Más encuentros.
❑ Más descuentos.
❑ Más cuentos.

2. Señale la expresión que oiga.

❑ Rebajas de agosto.
❑ Le bajas en agosto.
❑ Trabajas en agosto.

3. Subraye la respuesta correcta.

a. Estamos en un	centro comercial	mercado
b. Estamos en	enero	agosto
c. Anuncian	barajas	rebajas
d. Los precios son más	altos	bajos
e. Hay	más descuentos	menos descuentos

4. Busque en el mensaje un sinónimo de "rebajas".

....

5. Complete las frases con las palabras que oiga en el mensaje.

a. En agosto, los precios son ....
b. En agosto, hay más ....
c. En agosto, se compra más barato: son las ....

Vuelva a escuchar el mensaje y compruebe.
Transcripción y soluciones página 90.

2. AVISO UN CLIENTE

Escuche el mensaje y realice los ejercicios:

1. ¿Qué oye usted?

❏ Acuda a salida.　　　❏ Recurra a salida.　　　❏ Aluda a su vida.

2. Indique las vocales que se unen entre palabras.

a. Marta Álvarez.　　　　　***b.*** Acuda a salida.

3. Elija la respuesta correcta.

***a.* El mensaje se dirige:**

❏ a una persona.　　　❏ a un grupo de personas.

***b.* Es un aviso para:**

❏ un hombre.　　　❏ una mujer.

***c.* La persona se llama:**

❏ Aurora Martínez Suárez.　　❏ Marta Álvarez.　　❏ María Álvarez.

***d.* Se le pide que:**

❏ haga algo.　　　❏ vaya a algún sitio.

***e.* ¿Adónde debe ir?:**

❏ A otra sección.　　　❏ A otra planta.　　　❏ A una salida.

***f.* La esperan en:**

❏ una calle.　　　❏ una plaza.
❏ una avenida.　　　❏ una puerta.

4. Ordene las letras para encontrar el nombre del sitio al que se dirige.

> afentausn: ....

5. Escriba el sinónimo de "vaya" (ir) que se escucha en el mensaje.

> ....

Vuelva a escuchar el mensaje y compruebe.
Transcripción y soluciones páginas 90 y 91.

3. AVISO A UN EMPLEADO

Escuche el mensaje y realice los ejercicios:

1. ¿Qué oye usted?

❏ La acción de transportes. ❏ La sección de deportes.

❏ La presión de los portes.

2. Señale las vocales que se unen entre palabras.

a. Se ruega al encargado. **b.** Acuda a caja.

3. ¿Qué oye usted? Subraye el término adecuado.

a. cara	caja
b. deportes	de puertas
c. sacuda	acuda
d. encargado	cargado
e. central	principal

4. Elija la respuesta correcta.

a. Es un mensaje para:

❏ llamar a alguien. ❏ dar información.

b. Llaman:

❏ a un cliente. ❏ al encargado de una sección.

c. Le necesitan en:

❏ la sección de deportes. ❏ la caja central.

5. Complete el mensaje.

Se .... al ....
de la .... de
.... a
....

Vuelva a escuchar el mensaje y compruebe.
Transcripción y soluciones página 91.

4. PRECIOS

Escuche el mensaje y realice los ejercicios:

1. Señale la expresión que oiga.

❏ Garantía excepcional.
❏ Garantía sensacional.
❏ Garantía nacional.

2. ¿Qué oye usted? Señálelo.

❏ Queda el aspecto.
❏ Queda hecho.
❏ Queda satisfecho.

3. Señale con una cruz Verdadero o Falso.

	V	F
a. Esta oferta comercial dura una semana.		
b. Rebajan sólo la ropa sin marca.		
c. Son unos precios muy buenos.		
d. No se podrá devolver lo que se compre.		
e. Si lo devuelve, no le darán el dinero.		

4. Relacione las dos columnas.

a. Semana	**1.** precios
b. Las mejores	**2.** fantástica
c. Los mejores	**3.** excepcional
d. Garantía	**4.** marcas

5. Complete el eslogan del centro comercial.

"Si no queda ...., le .... su ...." .

Vuelva a escuchar el mensaje y compruebe.
Transcripción y soluciones página 91.

5. INFORMACIÓN AL CLIENTE

Escuche el mensaje y realice los ejercicios:

1. Separe las palabras que aparecen unidas.

a. señoresclientes: ....

b. lesrecordamos: ....

c. enbrevesmomentos: ....

2. Señale la frase que oiga.

❑ Cenará supuestas.   ❑ Cerrará sus puertas.   ❑ Cebará sus huertas.

3. Elija la respuesta correcta.

a. **Es un mensaje para:**

❑ los clientes.   ❑ los dependientes.
❑ los oyentes.   ❑ los pacientes.

b. **Se trata de:**

❑ un aviso.   ❑ un recuerdo.
                    ❑ una llamada personal.

c. **Es un mensaje referido:**

❑ al horario del centro comercial.   ❑ a un artículo.
                    ❑ a una promoción comercial.

4. Señale con una cruz Verdadero o Falso.

	V	F
a. El centro comercial abrirá pronto.		
b. Ya está cerrado.		
c. Va a cerrar en seguida.		

5. Escriba las fórmulas con las que empieza y acaba el mensaje.

a. ....
b. ....

Vuelva a escuchar el mensaje y compruebe.
Transcripción y soluciones página 91.

6. CINE

Escuche el mensaje y realice los ejercicios:

1. ¿Qué oye usted? Señálelo.

❏ Proteja su automóvil.
❏ Apaga a tu móvil.
❏ Apaga tu móvil.

2. Elija la respuesta correcta.

a. Tipo de mensaje:

❏ Consejo.
❏ Aviso.
❏ Información.

b. Lugar:

❏ Gasolinera.
❏ Cine.
❏ Teatro.

c. No debemos:

❏ Comer.
❏ Fumar.
❏ Hablar por teléfono.

d. Un móvil es:

❏ Un teléfono portátil.
❏ Un teléfono fijo.
❏ Un lector de CD.

3. Ordene el mensaje.

tu • el • en • gracias • móvil • cine • apaga

....

Vuelva a escuchar el mensaje y compruebe.
Transcripción y soluciones página 91.

7. INFORMACIÓN CINEMATOGRÁFICA

Escuche el mensaje y realice los ejercicios:

1. Marque las vocales que se unen entre palabras.

a. Bienvenido al servicio de información.

b. Marcando en su teléfono.

c. Número de opción.

d. Pulse uno.

e. Marque el cero.

2. Separe las palabras que aparecen unidas.

a. paravolveralmenú: ....

b. sinnecesidaddeescuchar: ....

3. Señale con una cruz Verdadero o Falso.

	V	F
a. Es un contestador de información cinematográfica.		
b. Nos da la programación de un solo cine.		
c. Antes de elegir, hay que escuchar el mensaje hasta el final.		
d. Para elegir cine, hay que marcar un número.		
e. Los números van del 1 al 7.		

4. Ordene las palabras y escriba el nombre de los cines.

Plaza • Renoir • Paz • Luna • Renoir • España • Caminos • Princesa • Cuatro • Renoir • de

a. –

b. –

c. –

d. –

e. –

5. ¿De qué cines escucho la programación?

    a. Si pulso 1: ....

    b. Si pulso 2: ....

    c. Si pulso 3: ....

    d. Si pulso 4: ....

    e. Si pulso 5: ....

6. Conteste.
   ¿Si marcamos el 0?:

> ....

7. Escriba:

    a. Cuatro palabras terminadas en "-ción":

....

    b. Una palabra terminada en "-cio":

....

    c. Una palabra terminada en "-dad":

....

    d. Una palabra que contenga "ch":

....

    e. Una palabra que contenga "j":

....

Vuelva a escuchar el mensaje y compruebe.
Transcripción y soluciones página 92.

8. PARQUE TEMÁTICO

Escuche el mensaje y realice los ejercicios:

1. ¿Qué oye usted?

❏ Esperamos que vaya.
❏ Esperamos que hayan.
❏ Esperamos que callan.

2. Señale los enlaces entre palabras.

a. De nuestro espectáculo.   **b.** Volver a verles.   **c.** En otra ocasión.

3. Elija la respuesta correcta.

a. ¿Qué acaba de terminar?

❏ Una película.   ❏ Un espectáculo.   ❏ Un concierto.

b. ¿Dónde estamos?

❏ En un cine.   ❏ En una feria.   ❏ En un parque temático.

c. ¿Cómo se llama?

❏ Terra Mítica.   ❏ Tierra Mítica.   ❏ Terra Rústica.

4. Escriba.

a. Un verbo que se repite dos veces:
....

b. Dos verbos que pueden ser sinónimos y que significan "pasarlo bien":
....

c. Una forma verbal que significa "de nuevo":
....

d. Una forma equivalente a "otra vez":
....

5. Subraye la forma verbal conjugada de cada verbo que oiga.

a. (Haber:) ha • haya • han • hayan • hayas
b. (Seguir:) sigan • sigue • seguid • siguen • sigamos
c. (Divertirse:) diviértete • divirtiéndonos • divirtiendo • divirtiéndote • divirtiéndose

Vuelva a escuchar el mensaje y compruebe.
Transcripción y soluciones página 92.

TEMA 5

NOTICIAS

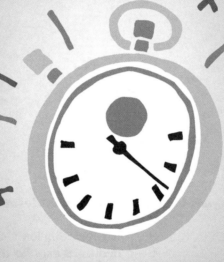

RADIO

PUBLICIDAD

a. Escuche las palabras siguientes y relaciónelas con la ilustración correspondiente.

1. termómetro   2. joya   3. carretera   4. carril

5 avería   6. servicio de socorro

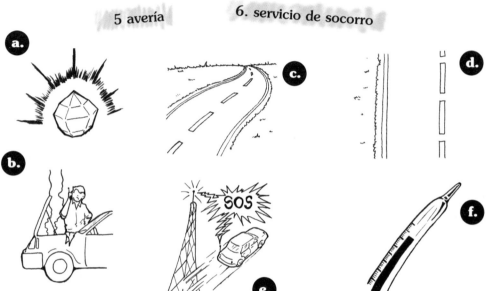

b. Relacione las palabras que oye con la definición correspondiente.

1. biólogo
2. ingeniero
3. técnico
4. arquitecto
5. encuestador

a. construye edificios y casas
b. se dedica al estudio de los seres vivos
c. se dedica a la ingeniería
d. se dedica a la aplicación práctica de las ciencias
e. realiza encuestas

c. Escuche los siguientes verbos o expresiones y relaciónelos con los de la columna de la derecha.

1. cortar
2. dispararse
3. valorar
4. cubrir (una plaza)

a. subir mucho
b. evaluar méritos
c. ofrecer un puesto
d. interrumpir

m e n s a j e s…

d. **Escuche las palabras siguientes y relacione las dos columnas.**

1. cumbre
2. compromiso
3. noticias
4. carné de conducir
5. apartado
6. convocatoria

a. boletín informativo
b. reunión de personalidades
c. documento que permite conducir un vehículo
d. obligación
e. buzón de correos
f. cita para acudir a algún acto

e. **Escuche las palabras siguientes y escriba un sinónimo del recuadro.**

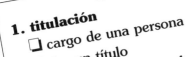

historial • plaza • solicitud • numérico • evolución

1. instancias: ....
2. digitalizado: ....
3. oferta de empleo: ....
4. currículum: ....
5. desarrollo: ....

f. **Elija la respuesta correcta.**

1. titulación
- ☐ cargo de una persona
- ☐ dar un título
- ☐ obtención de un título

2. remuneración
- ☐ pago por un servicio
- ☐ movimiento cultural
- ☐ conjunto de números

3. retención
- ☐ arresto
- ☐ atasco
- ☐ tensión

4. recopilación
- ☐ destrucción
- ☐ reunión de varias obras
- ☐ copia pirata

Transcripción y soluciones páginas 92 y 93

1. INFORMACIÓN HORARIA

Escuche el mensaje y realice los ejercicios:

1. ¿Qué oye usted? Márquelo.

❏ Una menos.   ❏ Una hora menos.   ❏ Una ola menos.

2. Señale la expresión que oiga.

❏ Sólo noticias.   ❏ Son las noticias.   ❏ Todo noticias.

3. Elija la respuesta correcta.

a. **En Canarias son las:**

❏ 15.18.   ❏ 09.42.   ❏ 10.28.
❏ 13.42.   ❏ 14.42.

b. **En la Península son las:**

❏ 15.18.   ❏ 09.42.   ❏ 10.28.
❏ 13.42.   ❏ 14.42.

c. **En Radio 5:**

❏ Podemos oír todo tipo de programas.   ❏ Dan sólo noticias.

d. **Estamos oyendo la información horaria:**

❏ En una radio regional.
❏ En una radio comercial.
❏ En una radio nacional.

4. Ordene los términos y escriba el nombre de dos emisoras de radio.

> Nacional • Todo • de • Radio • 5 • España • Noticias • Radio

a. ....

b. ....

**Vuelva a escuchar el mensaje y compruebe.
Transcripción y soluciones página 93.**

2. INFORMACIÓN METEOROLÓGICA

Escuche el mensaje y realice los ejercicios:

1. Marque las vocales que se unen entre palabras.

a. Muy altas.

b. Y esta noche.

2. Subraye las palabras que se enlazan.

a. En las próximas horas.

b. Van a seguir.

c. Vuelven a dispararse.

3. Elija la respuesta correcta.

a. **¿Qué tiempo hace?:**

❏ Calor.   ❏ Fresco.   ❏ Mucho calor.

b. **¿En qué estación estamos?:**

❏ A principios de verano.
❏ A finales de verano.
❏ En otoño.

c. **¿En qué parte de España hace más calor?:**

❏ En el sureste.   ❏ En el oeste.   ❏ En el sur.

4. Señale con una cruz Verdadero o Falso.

	V	F
a. Las temperaturas son muy elevadas.		
b. Es el tercer fin de semana del verano.		
c. Las temperaturas van a bajar.		
d. Los termómetros se han disparado.		
e. Hay 37 grados en Sevilla.		

5. Subraye las palabras que oiga relacionadas con la meteorología.

tormenta   claros   chaparrón   temperaturas

termómetros   grados

nubes   lluvia   calurosa   niebla

6. Complete los espacios.

En las .... horas, las temperaturas
.... muy .... en nuestro
país. En este .... fin de semana del
verano, ... a dispararse los termómetros, ... todo en el
.... de España. A las ....
del ...., ya tenían ....
grados en .... de Mallorca y
.... en Sevilla. Las temperaturas van
a .... subiendo y esta noche será
muy .... en todo el ....

Vuelva a escuchar el mensaje y compruebe.
Transcripción y soluciones página 93.

3. NOTICIAS

Escuche el mensaje y realice los ejercicios:

1. Separe las palabras que parecen unidas.

    a. Cumbreeuropea: ....

    b. Unióneuropea: ....

    c. lainmigraciónilegal: ....

2. Marque las vocales que se unen entre palabras.

    a. Arranca en Sevilla.

    b. Jefes de Estado y de Gobierno.

    c. Compromiso de acuerdo.

3. Complete las frases.

    a. Hoy empieza el ...., pues estamos a ....

    ....

    b. Hoy empieza la .... de Sevilla.

    c. Hoy se ha establecido un primer acuerdo sobre la ....

4. ¿Qué es en el mensaje "cumbre"? Subraye la respuesta correcta.

    ❏ La parte más alta de un lugar.

    ❏ Reunión de personalidades políticas.

    ❏ La parte superior de un monte.

5. Señale con una cruz Verdadero o Falso.

A esta cumbre asisten:	V	F
a. Jefes de Estado europeos.		
b. Jefes de Estado americanos.		
c. Jefes de Gobierno asiáticos.		
d. Jefes de Gobierno europeos.		

6. Complete el mensaje.

.... , 21 de junio, con la llegada del ...., ... en Sevilla la .... de Jefes de Estado y de Gobierno de la .... Europea y lo hace con un primer .... de acuerdo sobre la ....

Vuelva a escuchar el mensaje y compruebe.
Transcripción y soluciones páginas 93 y 94.

4. INFORMACIÓN DE TRÁFICO

Escuche el mensaje y realice los ejercicios:

1. ¿Qué oye usted?

❏ En lados puntos.   ❏ En vanos puntos.   ❏ En ambos puntos.

2. Separe las palabras que parecen unidas.

a. ensentidoACoruña: ....

b. hastaaquí: ....

c. diversasaverías: ....

3. Elija la respuesta correcta.

a. **¿De qué se nos informa?**

❏ De un coche averiado.
❏ Del estado del tráfico.
❏ De un accidente.

b. **¿Cómo se llama el organismo que nos informa?**

❏ Tráfico General.
❏ Dirección de Tráfico.
❏ Dirección General de Tráfico.

c. **¿A qué se deben las retenciones?**

❏ A un accidente.   ❏ A una avería.   ❏ A varias averías.

4. Subraye las palabras que oiga relacionadas con el tráfico.

tráfico   averías   carril   señal de tráfico   circulación

kilómetro   sentido   carreteras   retenciones

autovía   autopista   dirección   nacional

● ●

5. Ordene las siguientes palabras según el orden en que las escuche.

información • produciendo • precaución • diversas • derecho

a. ....   *b.* ....   *c.* ....

         d. ....   *e.* ....

6. Escriba los tres términos que se repiten en el mensaje (un verbo conjugado en distintas personas y dos sustantivos):

a. ....

b. ....

c. ....

7. ¿Qué nombres de ciudades españolas oye? Subráyelas.

a. León	Gijón
b. Logroño	A Coruña
c. Mérida	Lleida

8. Subraye ahora los puntos de retención que oiga.

a. Nacional 330	Nacional 230	Comarcal 230
b. A6	A16	A26

9. Complete las frases con las palabras que oiga en el mensaje.

a. El carril derecho está ....

b. Para ir de León a A Coruña, podemos coger la autopista ....

c. La nacional 230 pasa por ....

d. Nos piden que .... con precaución.

Vuelva a escuchar el mensaje y compruebe.
Transcripción y soluciones página 94.

5. PUBLICIDAD

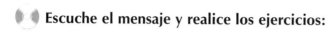 **Escuche el mensaje y realice los ejercicios:**

1. Señale los enlaces entre palabras.

    a. Una colección exclusiva.

    b. Llame ahora mismo.

    c. Faltar en su discoteca.

2. ¿Qué oye usted? Señálelo.

    ❏ Nota.   ❏ No está.   ❏ No ésta.

3. Elija la respuesta correcta.

    a. **¿Qué se anuncia?**

        ❏ Las playas de México.
        ❏ Música.
        ❏ Una tienda.
        ❏ Una joya.

    b. **¿Qué hay que hacer para adquirir los discos?**

        ❏ Ir a una tienda.
        ❏ Pedirlos por correspondencia.
        ❏ Llamar al teléfono que nos dan.

    c. **¿Cómo se llama el producto anunciado?**

        ❏ Lo mejor de México.
        ❏ La mujer de México.
        ❏ Lo mayor de México.

4. Complete las siguientes palabras relacionadas con el mundo de la música que oiga en el mensaje.

    a. D _ _ _ _ _ _ _ _ .
    b. _ _ _ _ P _ _ _ C _ _ _ .
    c. D _ _ _ _ _ _ _ Z _ _ _ _ .
    d. _ _ .

5. Relacione las dos columnas.

a. Colección   *1.* ahora mismo
b. Auténtica   *2.* en tiendas
c. No busque   *3.* exclusiva
d. Llame   *4.* digitalizados
e. 3 CD   *5.* joya

6. Complete las frases con las palabras del recuadro.

México • exclusivo • treinta • digital • tres • tiendas

a. Es un disco ....

b. No lo venden en las ....

c. Es música típica de ....

d. Tiene buen sonido, es sonido ....

e. Son .... discos.

f. Su precio es de .... euros.

7. Señale el número de teléfono que oiga.

❏ 602 190 890.
❏ 702 190 890.
❏ 602 890 890.
❏ 602 180 890.
❏ 302 190 890.

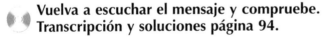
Vuelva a escuchar el mensaje y compruebe.
Transcripción y soluciones página 94.

6. OFERTAS DE EMPLEO

Escuche el mensaje y realice los ejercicios:

1. Separe las palabras que parecen unidas.

    a. trabajeencasa: ....

    b. quinientoseuros: ....

2. ¿Qué oye usted?

    ❏ La menos.   ❏ Llámenos.   ❏ Da menos.

3. Señale con una cruz Verdadero o Falso.

	V	F
a. Es un anuncio de trabajo a domicilio.		
b. Sabemos en qué consiste el trabajo.		
c. Se pueden ganar hasta 1.500 euros mensuales.		
d. Hay que mandar un currículum vitae.		
e. No dan ninguna dirección.		

4. ¿A qué número de teléfono tiene que llamar si quiere más información?

    ❏ 747 15 68 16.   ❏ 637 00 98 03.   ❏ 947 05 18 06.

          ❏ 647 05 98 06.   ❏ 647 05 58 10.

5. Ordene el mensaje.

> casa • ganar • euros • en • mil • hasta • trabaje • podrá
> • quinientos • mensuales

....
....

Vuelva a escuchar el mensaje y compruebe.
Transcripción y soluciones páginas 94 y 95.

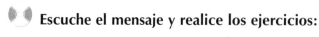

7. OFERTAS DE EMPLEO

Escuche el mensaje y realice los ejercicios:

1. Indique los enlaces entre palabras.

   a. Se necesitan encuestadores.

   b. Para estudios estadísticos.

2. Separe las palabras que parecen unidas.

   a. denueveacatorce: ....

   b. experienciaycoche: ....

3. Elija la respuesta correcta.

   a. ¿Qué necesitan?

   ❑ Encuestadores.   ❑ Administradores.   ❑ Escritores.

   b. ¿Para qué?

   ❑ Para hacer estudios.
   ❑ Para hacer estadísticas.
   ❑ Para grupos turísticos.

   c. ¿Qué se valorará?

   ❑ Estudios.   ❑ Coche.
   ❑ Ciencia.   ❑ Experiencia y coche.

   d. ¿Cuál es el horario telefónico?

   ❑ 9 a 12.   ❑ 9 a 11.
   ❑ 7 a 14.   ❑ 9 a 14.

4. Anote las palabras que empiezan por "e".

   ....

5. Complete los números de teléfono.

   a. _ 4 4 _ _ _ 4 _ _ .

   b. _ _ _ _ _ 8 _ 38.

Vuelva a escuchar el mensaje y compruebe.
Transcripción y soluciones página 95.

8. OFERTAS DE EMPLEO

Escuche el mensaje y realice los ejercicios:

1. ¿Qué oye usted? Señálelo.

❏ Beneficios salvables.   ❏ Beneficios sociales.   ❏ Beneficios oficiales.

2. Marque los enlaces que se unen entre palabras.

   a. Al apartado.
   b. Carné de conducir y experiencia.
   c. Coche de empresa.

3. Elija la respuesta correcta.

   a. ¿De qué tipo de empresa se trata?

     ❏ De una multinacional.   ❏ De una farmacia.   ❏ De una fábrica.

   b. ¿Qué necesita?

     ❏ Un farmacéutico.   ❏ Un médico.   ❏ Un comercial.

4. Señale con una cruz Verdadero o Falso.

	V	F
a. Es una empresa líder en el sector farmacéutico.		
b. Hay que contestar por escrito.		
c. Dan dos teléfonos de contacto.		
d. Ofrecen un sueldo alto.		
e. No hay posibilidades de ascenso.		

5. Subraye lo que no se le pida al candidato.

   a. Tener 45 años como máximo.
   b. Tener título universitario.
   c. Hablar inglés.
   d. Saber conducir.
   e. Hablar francés.
   f. Tener experiencia comercial.

6. Señale lo que se ofrece al candidato.

    a. Buen sueldo.

    b. Beneficios sociales.

    c. Alojamiento a cargo de la empresa.

    d. Escolaridad de los hijos a cargo de la empresa.

    e. Coche de empresa.

    f. Futuro estable.

    g. Posibilidades de desarrollo profesional.

7. Escriba la dirección a la que hay que enviar el currículum:

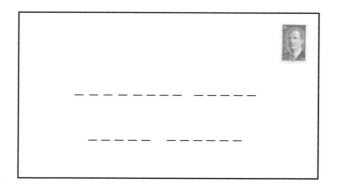

Vuelva a escuchar el mensaje y compruebe.
Transcripción y soluciones página 95.

9. OFERTAS DE EMPLEO

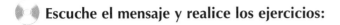

 Escuche el mensaje y realice los ejercicios:

1. ¿Qué oye usted?

❏ Arquitecto técnico.
❏ Arquitectónico.
❏ Arquitecto tónico.

2. Señale los sonidos que se unan.

a. Presentación de instancias.

b. Más información.

c. En el Boletín.

3. Subraye las profesiones que oiga en el mensaje.

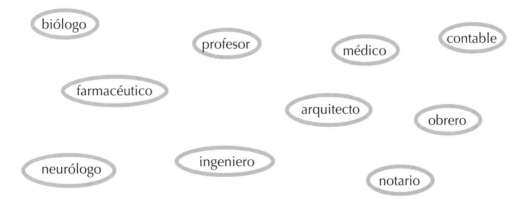

biólogo

profesor

médico

contable

farmacéutico

arquitecto

obrero

neurólogo

ingeniero

notario

4. Relacione las dos columnas.

a. Ayuntamiento	**1.** Asturias
b. Principado de	**2.** Oficial
c. Boletín	**3.** de Gijón
d. Plazo	**4.** de presentación
e. Bases	**5.** una plaza
f. Cubrir	**6.** de la convocatoria

Tiempo para comprender

●●

5. Ordene los términos y escriba las plazas que necesita cubrir el Ayuntamiento de Gijón.

> industrial • técnico • biólogo • técnico • ingeniero • arquitecto

a. ....

b. ....

c. ....

6. Señale con una cruz Verdadero o Falso.

	V	F
a. El plazo de presentación de instancias termina el 21 de julio.		
b. Para más información, puede consultar el Boletín Oficial.		
c. Hay dos meses de plazo para presentar la instancia.		
d. Gijón está en Asturias.		
e. El biólogo lo necesita el Ayuntamiento de León.		

Vuelva a escuchar el mensaje y compruebe.
Transcripción y soluciones página 95.

10. SERVICIO DE SOCORRO

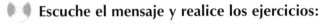
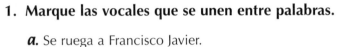

Escuche el mensaje y realice los ejercicios:

1. Marque las vocales que se unen entre palabras.

> **a.** Se ruega a Francisco Javier.
>
> **b.** Se comunique urgentemente.
>
> **c.** Llamando al teléfono.

2. Señale la frase que oiga.

❏ Es un aviso.   ❏ Es un viso.   ❏ Es un aliso.

3. Elija la respuesta correcta.

> **a.** ¿Qué tipo de mensaje es?
>
> > ❏ Un anuncio publicitario.
> > ❏ Un contestador telefónico.
> > ❏ Una noticia.
> > ❏ Una información.
> > ❏ Un aviso urgente.
>
> **b.** ¿A quién va dirigido el mensaje?
>
> > ❏ A una persona en particular.
> > ❏ A una familia.
> > ❏ A un grupo de personas.
> > ❏ Al turismo.
> > ❏ Al consumidor.
>
> **c.** ¿Cuál es su nombre?
>
> > ❏ Javier.
> > ❏ Francisco.
> > ❏ Francisco Javier.
> > ❏ Javier Francisco.
>
> **d.** ¿Y su primer apellido?
>
> > ❏ Pérez.
> > ❏ Vélez.
> > ❏ Bravo Pérez.
> > ❏ Bravo.
> > ❏ Claro Pérez.

4. ¿Qué número de teléfono oye?

_ _ 8 _ _ _ 0 _ 0.

5. Señale con una cruz Verdadero o Falso.

	V	F
a. La familia de Francisco Javier vive en Madrid.		
b. Francisco Javier está viajando fuera de Madrid.		
c. El mensaje lo transmite la Cadena Ser.		
d. Tiene que llamar urgentemente.		
e. Repiten su nombre tres veces.		

Vuelva a escuchar el mensaje y compruebe.
Transcripción y soluciones página 96.

TRANSCRIPCIONES Y SOLUCIONES

TEMA 1 – TRANSPORTES

Antes de los mensajes... (Páginas 6 – 7)

a. estación, andén, coche, pasajero, azafata, puerta, en curva, equipaje.
Soluciones: 1. a, 2. b, 3. f, 4. d, 5. g, 6. c, 7. e, 8. h.

b. salida, destino, vuelo, fila, pertenencias, contratiempo, niebla.
Soluciones: 1. b, 2. d, 3. e, 4. c, 5. g, 6. a, 7. f.

c. rogar, informar, recordar, disculpar, interrumpir, bajar, asegurarse.
Soluciones: 1. c, 2. a, 3. b, 4. d, 5. g, 6. f, 7. e.

d. ampliación, aviso, molestia, incidente técnico, tráfico.
Soluciones: 1. aumento, 2. comunicado, 3. contrariedad, 4. avería, 5. circulación.

e. Soluciones: 1. salir más tarde, 2. subir a un avión, 3. iniciar el vuelo, 4. anular, 5. prestar atención.

1. SALIDAS (Página 8)

> Avión
> En el aeropuerto
> Salida del vuelo Spanair siete tres cinco cero (7350) con destino Santiago.
> Señores pasajeros, embarquen por la puerta C treinta y siete (37).

Soluciones: 1. vuelo. 2. treinta y siete. 3. De salida de vuelo. 4. a. Salida, b. Spanair, c. Siete, d. Santiago, e. Señores. 5. a. Spanair, b. C 37, c. 7350, d. Santiago.

2. AVISO (Página 9)

> Último aviso a los señores pasajeros del vuelo Air France uno siete uno (171) con destino París Charles de Gaulle: embarquen urgentemente por la puerta B veinte (20).

Soluciones: 1. a. embarquen urgentemente, b. con destino París. **2.** a. Últim<u>o aviso a</u> los señores pasajeros, b. Uno siet<u>e u</u>no, c. Del vuel<u>o A</u>ir France. **3.** último aviso. **4.** es muy urgente. **5.** un aeropuerto francés. **6.** a. Air France, b. B 20, c. 171, d. París.

3. EMBARQUE (Página 10)

Señores pasajeros de la compañía Aerolíneas Argentinas vuelo número cinco tres siete cuatro (5374), preséntense por favor en la puerta de embarque A quince (15). Al embarque se procederá por filas.

Soluciones: 1. a. Compañía Aerolíneas, b. Puerta de embarque. **2.** a. Al embarque, b. Aerolíneas Argentinas. **3.** puerta de embarque, compañía, pasajeros. **4.** embarcar. **5.** a. Aerolíneas Argentinas, b. 5374, c. A 15.

4. CANCELACIÓN (Páginas 11-12)

Cancelación de vuelos
El vuelo Iberia número cinco seis tres (563) con destino Marsella y salida prevista a las seis de la mañana, ha sido cancelado debido a la intensa niebla. Rogamos a los señores pasajeros disculpen este contratiempo. Les recordamos que el próximo vuelo para Marsella despegará a las diez de la mañana. Gracias por su atención.

Soluciones: 1. a. El vuelo Iberia, b. Prevista a las seis, c. Debido a la intensa, d. Que el próximo vuelo, e. Por su atención. **2.** Ha sido cancelado. **3.** a. en un aeropuerto, b. por la mañana, c. la niebla, d. esa misma mañana, e. Iberia, f. una cancelación. **4.** a. F, b. F, c. V, d. V. **5.** vuelo, salida, cancelado, Rogamos, disculpen, despegará.

5. LLEGADAS (Página 13)

Tren
Señores pasajeros: estamos llegando a la estación de Almería. Asegúrense de que llevan todas sus pertenencias con ustedes antes de bajar. No dejen olvidado ningún objeto personal. Recojan todo su equipaje y acérquense a la puerta de salida.

Soluciones: 1. a. Con ustedes, b. No dejen olvidado, c. Ningún objeto. **2.** a. Estamos llegando a la estación, b. Recojan todo su equipaje y acérquense a la puerta. **3.** pertenencias, objeto personal, equipaje. **4.** bajar, pasajeros, equipaje, puerta, olvidado, objeto, estación. **5.** a. estamos llegando, b. asegúrense, c. con ustedes, d. no dejen, e. recojan, f. acérquense.

6. RETRASOS (Página 14)

Señores viajeros: el tren Talgo procedente de La Junquera con destino Alicante efectuará su llegada con 45 minutos de retraso debido a un incidente técnico. Les rogamos disculpen las molestias.

Soluciones: 1. Efectuará su llegada. **2.** b. Debido a un incidente. **3.** Incidente técnico, Tren Talgo, Destino Alicante, Disculpen las molestias, 45 minutos de retraso. **4.** a. procedente, b. llegada, c. viajeros, d. rogamos, e. efectuará. **5.** a. El tren llegará a Alicante, b. El tren llegará con mucho retraso, c. El Talgo tiene casi una hora de retraso, d. A los viajeros se les avisa del retraso antes de subir al tren, e. Ha habido un incidente técnico.

7. AVISO (Página 15)

> Metro
> Les recordamos que la próxima estación está en curva. Al salir tengan cuidado para no introducir el pie entre coche y andén.

Soluciones: 1. a. La próxima estación, b. Está en curva, c. Coche y andén. **2.** b. No introducir el pie. **3.** a. F, b. F, c. V, d. F, e. V. **4.** coche, curva, andén, cuidado, próxima. **5.** Les, próxima, está, tengan, para, entre.

8. AVISO (Página 16)

> Recordamos a los señores viajeros que está prohibido fumar en todas las instalaciones del metro.

Soluciones: 1. Está prohibido. **2.** a. Los señores, b. Fumar en, c. Las instalaciones. **3.** d. Deberes de los viajeros. **4.** Fumar. **5.** En los pasillos del metro, En los vagones del metro, En las escaleras del metro, En las taquillas del metro.

9. INFORMACIÓN (Páginas 17-18)

> Línea en obras
> Atención señores viajeros. Metro de Madrid informa que en la línea 10, entre las estaciones de Chamartín y Plaza de España, el servicio se halla momentáneamente interrumpido por mejoras y ampliación del servicio. Les rogamos disculpen las molestias. Gracias.

Soluciones: 1. a. que en la línea, b. entre las estaciones, c. el servicio se halla. **2.** Por mejoras y ampliación. **3.** a. en el metro, b. Madrid, c. 10, d. está en obras, e. Chamartín y Plaza de España. **4.** a. Una, b. Una, c. Una, d. Dos, e. Una. **5.** viajeros, línea, estaciones, servicio, mejoras, servicio, rogamos.

10. AVISO (Página 19)

> Taxi
> Pedir un taxi
> Bienvenido al servicio de Radio Taxi. Manténgase a la espera, que en breves momentos le atenderemos.

Soluciones: 1. a. Bienvenido al servicio, b. Que en breves momentos, c. Le atenderemos. **2.** Manténgase a la espera. **3.** a. Un servicio común a varios taxistas, b. Esperar, c. A una sola. **4.** Manténgase. **5.** a. la/al, b. a, c. de/en, d. le. **6.** Bienvenido, servicio, espera, momentos.

TEMA 2 – COMUNICACIÓN TELEFÓNICA

Antes de los mensajes... (Páginas 22-23)

a. teléfono, número de teléfono, móvil, contestador/buzón de voz, pulsar/marcar.
Soluciones: 1. b, 2. d, 3. e, 4. c, 5. a.

b. conservar, cambiar, borrar, recibir, tomar nota, volver.
Soluciones: 1. b, 2. c, 3. a, 4. e, 5. f, 6. d.

c. el mensaje, la clave de acceso, la hora de aviso, el idioma, la señal, el motivo de su llamada, ausente.
Soluciones: 1. noticia, 2. código para entrar, 3. momento de la comunicación, 4. lengua, 5. sonido para avisar de algo, 6. razón de la comunicación, 7. desaparecido.

d. Soluciones: 1. fuera del alcance de las antenas de telecomunicaciones, 2. fuera de funcionamiento, 3. comunicando, 4. saturado.

1. SOBRECARGA (Página 24)

> Información en un contestador
> Telefónica le informa de que en estos momentos hay sobrecarga en la red privada del teléfono al que llama. Rogamos vuelva a marcar pasados unos minutos.

Soluciones: 1. Telefónica le informa. **2.** a. en estos momentos hay, b. vuelva a marcar, c. teléfono al que llama. **3.** a. F, b. V, c. F, d. F, e. V. **4.** 1. le, 2. informa, 3. de, 4. estos, 5. momentos, 6. hay, 7. la, 8. red, 9. privada, 10. llama, 11. vuelva, 12. a, 13. pasados, 14. unos, 15. minutos. **5.** a. Telefónica, b. rogamos, c. sobrecarga, d. pasados unos minutos, e. hay.

2. CAMBIO DE NÚMERO (Página 25)

> Telefónica le informa de que el número de teléfono al que usted llama ha cambiado. Por favor, tome nota del nuevo número: nueve, siete, nueve, ocho, cinco, cero, tres, uno, cuatro (979850314).

Soluciones: 1. a. Le informa, b. De que el número al que, c. Usted llama ha cambiado. **2.** 979850314. **3.** a. ha cambiado, b. impar, c. 9 dígitos, d. un solo siete, e. nos lo da directamente el contestador. **4.** a. Telefónica, teléfono, tome, tres, b. cambiado, cinco, cero, cuatro, c. número, nota, nuevo, nueve, d. usted, uno. **5.** Telefónica, de, al, llama, favor, nota, número, siete, cinco, tres.

3. NÚMERO ERRÓNEO (Página 26)

> Telefónica le informa de que actualmente no existe ninguna línea en servicio con esa numeración.

Soluciones: 1. Con esa numeración. **2.** a. De que actualmente, b. No existe, c. Ninguna línea en servicio. **3.** a., b., d. **4.** Telefónica, de, existe, línea, esa. **5.** a. servicio, b. averiada, c. establece, d. línea, e. numeración.

4. SIN COMUNICACIÓN (Página 27)

> El teléfono móvil al que llama está apagado o fuera de cobertura en este momento.

Soluciones: 1. Está apagado. **2.** a. móvil al que llama, b. apagado o fuera, c. en este momento. **3.** a. V, b. F, c. V, d. F, e. V. **4.** a. teléfono móvil, b. está apagado, c. fuera de cobertura, d. en este momento. **5.** a. Móvil, b. Fijo, c. fuera de cobertura, d. mensaje.

5. AVISO DE MENSAJE (Página 28)

> Tiene un mensaje nuevo. Mensaje número uno. Recibido el treinta de mayo a las 22 horas 28 minutos.

Soluciones: 1. Recibido el treinta. **2.** a. Tiene un mensaje, b. Número uno, c. Treinta de mayo a las, d. Veintidós horas. **3.** c. Un servicio contestador. **4.** a. recibido, b. nuevo, c. noche. **5.** a. 3, b. 1, c. 2.

6. INSTRUCCIONES (Página 29)

(Tras la escucha del mensaje): Para volver a escuchar el mensaje, pulse 1; para conservarlo, pulse 2; para borrarlo, pulse 3… Mensaje guardado (o mensaje borrado). No hay más mensajes.

Soluciones: 1. No hay más mensajes. **2.** a. volver a escuchar, b. escuchar el mensaje, c. pulse uno. **3.** a. Pulsar, b. Marcar, c. Escuchar, d. Contestar, e. Establecer, f. Sobrecarga. **4.** 1. Volver a escucharlo, 2. Conservarlo, 3. Borrarlo. **5.** a. Pulso 3, b. Pulso 2, c. Pulso 1.

7. INSTRUCCIONES (Página 30)

Para cambiar el mensaje de bienvenida, pulse 1; para cambiar la clave de acceso, pulse 2; para acciones sobre la hora de aviso, pulse 3; para cambiar el idioma, pulse 4.

Soluciones: 1. Para acciones sobre la hora. **2.** La clave de acceso. **3.** a. V, b. F, c. F, d. F, e. V. **4.** a. el mensaje de bienvenida, b. la clave de acceso, c. la hora de aviso, d. el idioma. **5.** a. 4, b. 3, c. 1, d. 2.

8. MENSAJE EN UN CONTESTADOR (Página 31)

Mensajes en un contestador
Ha llamado al noventa y uno, siete, cincuenta y nueve, noventa y ocho, cuarenta y tres (91 7 59 98 43). En este momento no le puedo atender. Si lo desea, puede dejar un mensaje después de oír la señal. Gracias.

Soluciones: 1. No le puedo atender. **2.** a. en este momento, b. no le puedo atender, c. después de oír. **3.** a. 91, b. 43, c. atenderle, d. contestador, e. señal. **4.** a. F, b. V, c. V, d. F, e. V. **5.** Ha, 917599843, este, atender, desea, dejar, mensaje, señal.

9. MENSAJE EN UN CONTESTADOR (Página 32)

Bienvenido al buzón Movistar seis, cero, cinco, treinta y uno, cincuenta y cinco, veintisiete (605315527). No está disponible. Grabe su mensaje después de la señal.

Soluciones: 1. Grabe su mensaje. **2.** a. Bienvenido al buzón, b. No está disponible. **3.** Señal, grabe, mensaje, buzón. **4.** a. Teléfono móvil, b. Teléfono móvil, c. Teléfono fijo, d. Teléfono fijo, e. Teléfono móvil. **5.** Bienvenido al buzón Movistar 605315527. No está disponible. Grabe su mensaje después de la señal.

10. MENSAJE EN UN CONTESTADOR (Páginas 33–34)

> Este es el contestador del noventa y cuatro, cuatro, ochenta y siete, noventa y ocho, setenta y ocho (94 4 87 98 78). En este momento estoy ocupado o ausente y no puedo atenderle. Deje su nombre, número de teléfono y motivo de la llamada cuando oiga la señal. Le llamaré lo antes posible. Gracias.

Soluciones: 1. Y motivo de la llamada. **2.** a. Este es, b. Estoy ocupado, c. No puedo atenderle, d. cuando oiga, e. lo antes. **3.** a. un contestador privado, b. 944 87 98 78, c. no está en casa – tal vez esté en casa, d. es un hombre, e. se puede dejar un mensaje después de la señal. **4.** a. estoy ocupado o ausente y no puedo, b. su nombre, número de teléfono y motivo de la llamada cuando oiga la, c. lo antes posible. **5.** a. V, b. F, c. F, d. V, e. V.

TEMA 3 – SERVICIOS

Antes de los mensajes... (Páginas 36–37)

a. surtidor de gasolina súper, sin plomo, despertador, habitación, tecla asterisco, Documento Nacional de Identidad.
Soluciones: 1. e, 2. c, 3. f, 4. b, 5. a, 6. d.

b. la extensión, saturación de líneas, reservas, venta, gestiones, cuenta.
Soluciones: 1. b, 2. c, 3. a, 4. e, 5. d, 6. f.

c. pasar por caja, estar al habla, recordar, ser avisado, atender, esperar.
Soluciones: 1. b, 2. c, 3. a, 4. e, 5. d, 6. f.

d. Echar gasolina, la operadora, petición, aviso.
Soluciones: 1. repostar, 2. el agente, 3. solicitud, 4. anuncio.

e. Soluciones: 1. institución con fines benéficos, 2. dependencia de alguna droga, 3. servicio de reparto de mensajes, 4. lugar donde se consigue información.

1. GASOLINERA (Página 38)

> En un gasolinera
> Ha echado usted gasolina sin plomo. Recuerde pasar por caja y que su número de surtidor es el 5. Muchas gracias y buen viaje.

Soluciones: 1. Ha echado usted. **2.** Pasar por caja. **3.** a. gasolina sin plomo, b. en caja al salir de la gasolinera, c. es el número cinco. **4.** a. gasolina, b. surtidor, c. echar, d. gasolinera. **5.** repostado, gasoil, no, olvide, pagar, distribuidor, muy.

2. AYUNTAMIENTO (Página 39)

> Ayuntamiento de Murcia
> Está usted al habla con el Ayuntamiento de Murcia. Si sabe la extensión, márquela. Si no, espere; la operadora le atenderá.

Soluciones: 1. Está usted al habla. **2.** La operadora le atenderá. **3.** a. ayuntamiento, b. extensión, c. al habla, d. operadora, e. márquela. **4.** a. V, b. F, c. F, d. V, e. V. **5.** Está, el, Murcia, sabe, espere, atenderá.

3. EMPRESA (Página 40)

> Iberdrola
> Bienvenido al teléfono del cliente de Iberdrola. En estos momentos, todos nuestros agentes están ocupados. Le rogamos que continúe a la espera.

Soluciones: 1. Continúe a la espera. **2.** a. Bienvenido al teléfono, b. de Iberdrola. **3.** a. Del cliente, b. Iberdrola, c. esperemos. **4.** a. teléfono del cliente de Iberdrola, b. todos nuestros agentes están ocupados, c. continúe a la espera. **5.** Todos nuestros agentes están ocupados.

4. TELÉFONO DE AYUDA (Página 41)

> Teléfonos de ayuda
> Está usted llamando a la fundación de ayuda contra la drogadicción. Por saturación de las líneas, rogamos vuelva a llamar pasados unos minutos.

Soluciones: 1. a. Está usted, b. Llamando a, c. De ayuda, d. Vuelva a llamar. **2.** Fundación de ayuda. **3.** La droga. **4.** a. F, b. V, c. V, d. F, e. V. **5.** a. Fundación, b. Drogadicción, c. Saturación.

5. DESPERTADOR (Página 42)

> Despertador
> Servicio de aviso y despertador de Telefónica. Por favor, marque con cuatro cifras la hora y minutos en que desea ser avisado.
> Petición aceptada.

Soluciones: 1. Cuatro cifras. **2.** a. aviso y despertador, b. la hora y minutos, c. gracias y buen viaje. **3.** de aviso y despertador. **4.** a. F, b. V, c. V, d. V. **5.** servicio, Telefónica, avisa, despierta, hora. **6.** a. petición, b. aceptada.

6. HOSPITAL (Página 43)

Hospital
Ha llamado usted al Hospital Virgen de la Vega. En unos momentos le atenderemos. Si desea hablar directamente con una habitación, marque el número. Gracias.

Soluciones: 1. Ha llamado usted. **2.** a. le atenderemos, b. si desea hablar, c. marque el número. **3.** a. Directamente, b. Desea, c. Ha llamado usted al, d. En unos momentos, e. Ha, hospital, hablar, habitación. **4.** Virgen de la Vega. **5.** llamado, al, momentos, atenderemos, desea, habitación, marque.

7. AGENCIA DE VIAJES (Página 44)

Agencias de viaje
Gracias por llamar a Serviberia, la oficina de información, reservas y venta telefónica de Iberia. En breves instantes será atendido por un agente. Si compra su billete por teléfono, se lo enviamos gratis por mensajería a la dirección que nos indique. Gracias.

Soluciones: 1. a. En breves instantes, b. Por un agente, c. La dirección que nos indique. **2.** Gracias por llamar a Serviberia. **3.** a. Un contestador, b. A una agencia de Iberia, c. Serviberia, d. Una compañía aérea. **4.** a. Información, b. Reservas, c. Venta. **5.** a. 3, b. 1, c. 4, d. 2, e. 5.

8. COMPAÑÍA DE SEGUROS (Página 45)

Compañía de seguros
Está usted en comunicación con Mutua Madrileña Automovilista. Nuestro horario de oficina en el que podemos realizar sus gestiones por teléfono es de ocho a tres de lunes a viernes; los sábados de nueve a una. Muchas gracias.

Soluciones: 1. Realizar sus gestiones. **2.** a. Está usted, b. Nuestro horario de oficina, c. Lunes a viernes. **3.** a. V, b. F, c. F, d. V, e. V, f. V. **4.** lunes, gestiones, horario, comunicación. **5.** usted, Madrileña, Nuestro, en, sus, es, tres, nueve.

9. BANCA TELEFÓNICA (Página 46)

Banca telefónica
Buenos días. Bienvenido a Bankinter. Por favor, pulse la tecla asterisco... Por favor, marque su código de acceso a Banca telefónica... Marque ahora el número de su Documento Nacional de Identidad... Señora García, tiene en su cuenta principal...

Soluciones: 1. Código de acceso. **2.** a. bienvenido a Bankinter, b. marque ahora el, c. tecla asterisco. **3.** a. Bankinter, b. Señora García, c. Documento Nacional de Identidad, d. por favor. **4.** a. 5, b. 2, c. 1, d. 4, e. 3. **5.** a. Al código de acceso, b. Al DNI.

10. HOTEL (Página 47)

Reservas de hotel
Gracias por llamar a Sol-Meliá. Para efectuar una reserva, pulse 1; para el departamento nacional o internacional, pulse 2. Para cualquier otro tipo de información, pulse 3 y espere línea, en breves instantes atenderemos su llamada.

Soluciones: 1. Y espere línea. **2.** a. Llamar a Sol-Meliá, b. Efectuar una reserva, c. Nacional o internacional. d. Breves instantes atenderemos. **3.** a. pulsa 1, b. espera línea. **4.** a. 4, b. 3, c. 5, d. 1, e. 2. **5.** a. Gracias, b. Nacional, c. Internacional, d. Información.

TEMA 4 – OCIO Y COMPRAS

Antes de los mensajes... (Páginas 50–51)

a. centro comercial, precio, rebajas, caja central, deportes, marcas.
Soluciones: 1. d, 2. c, 3. b, 4. e, 5. f, 6. a.

b. descuento, encargado, dinero, programación, número de opción.
Soluciones: 1. b, 2. a, 3. e, 4. c, 5. d.

c. acudir, devolver, satisfacer, cerrar, disfrutar, divertirse.
Soluciones: 1. f, 2. a, 3. e, 4. d, 5. b, 6. c.

d. Soluciones: 1. departamento, 2. seguridad que se tiene sobre algo, 3. cerrar.

1. REBAJAS (Página 52)

En un centro comercial
Más descuentos, mejores precios en nuestras rebajas de agosto.

Soluciones: 1. Más descuentos. **2.** Rebajas de agosto. **3.** a. centro comercial, b. agosto, c. rebajas, d. bajos, e. más descuentos. **4.** Descuentos. **5.** a. mejores, b. descuentos, c. rebajas.

2. AVISO A UN CLIENTE (Página 53)

Señora Marta Álvarez: acuda a salida Plaza Fuensanta.

Soluciones: 1. Acuda a salida. **2.** a. Marta Álvarez, b. Acuda a salida. **3.** a. a una persona, b. una mujer, c. Marta Álvarez, d. vaya a algún sitio, e. A una salida, f. una plaza. **4.** Fuensanta. **5.** Acuda.

3. AVISO A UN EMPLEADO (Página 54)

Se ruega al encargado de la sección de deportes acuda a caja central.

Soluciones: 1. La sección de deportes. **2.** a. Se ruega al encargado, b. Acuda a caja. **3.** a. caja, b. deportes, c. acuda, d. encargado, e. central. **4.** a. llamar a alguien, b. al encargado de una sección, c. la caja central. **5.** ruega, encargado, sección, deportes, acuda, caja, central.

4. PRECIOS (Página 55)

Semana fantástica: las mejores marcas a los mejores precios... Con una garantía excepcional: si no queda satisfecho, le devolvemos su dinero.

Soluciones: 1. Garantía excepcional. **2.** Queda satisfecho. **3.** a. V, b. F, c. V, d. F, e. F. **4.** a. 2, b. 4, c. 1, d. 3. **5.** satisfecho, devolvemos, dinero.

5. INFORMACIÓN AL CLIENTE (Página 56)

Señores clientes: les recordamos que nuestro centro comercial cerrará sus puertas en breves momentos. Muchas gracias.

Soluciones: 1. a. señores clientes, b. les recordamos, c. en breves momentos. **2.** Cerrará sus puertas. **3.** a. los clientes, b. un aviso, c. al horario del centro comercial. **4.** a. F, b. F, c. V. 5. a. Señores clientes, b. Muchas gracias.

6. CINE (Página 57)

De cine
En el cine, apaga tu móvil. Gracias.

Soluciones: 1. Apaga tu móvil. **2.** a. Consejo, b. Cine, c. Hablar por teléfono, d. Un teléfono portátil. **3.** En el cine, apaga tu móvil. Gracias.

7. INFORMACIÓN CINEMATOGRÁFICA (Páginas 58-59)

> Bienvenido al servicio de información cinematográfica. A continuación, podrá informarse de la programación de cada cine marcando en su teléfono, sin necesidad de escuchar el mensaje completo, el número de opción que desee:
> – Cines Renoir Plaza de España: pulse 1
> – Cines Luna: pulse 2
> – Cines Renoir Cuatro Caminos: pulse 3
> – Cines Renoir Princesa: pulse 4
> – Cines Paz: pulse 5
> Para volver al menú principal marque el cero en su teléfono.

Soluciones: 1. a. Bienvenido al servicio de información, b. Marcando en su teléfono, c. Número de opción, d. Pulse uno, e. Marque el cero. **2.** a. para volver al menú, b. sin necesidad de escuchar. **3.** a. V, b. F, c. F, d. V, e. F. **4.** Renoir Plaza de España, Luna, Renoir Cuatro Caminos, Renoir Princesa, Paz. **5.** a. Renoir Plaza de España, b. Luna, c. Renoir Cuatro Caminos, d. Renoir Princesa, e. Paz. **6.** Volvemos al menú principal. **7.** a. Información, continuación, programación, opción, b. Servicio, c. Necesidad, d. Escuchar, e. Mensaje.

8. PARQUE TEMÁTICO (Página 60)

> Parque temático
> Esperamos que hayan disfrutado de nuestro espectáculo y sigan divirtiéndose. Esperamos volver a verles en otra ocasión en Terra Mítica. Muchas gracias.

Soluciones: 1. Esperamos que hayan. **2.** a. De nuestro espectáculo, b. Volver a verles, c. En otra ocasión. **3.** a. Un espectáculo, b. En un parque temático, c. Terra Mítica. **4.** a. Esperamos, b. Disfrutar, divertirse, c. Volver a, d. En otra ocasión. **5.** a. hayan, b. sigan, c. divirtiéndose.

TEMA 5 – RADIO

Antes de los mensajes... (Páginas 62–63)

a. termómetro, joya, carretera, carril, avería, servicio de socorro.
Soluciones: 1. f, 2. a, 3. c, 4. d, 5. b, 6. e.

b. biólogo, ingeniero, técnico, arquitecto, encuestador.
Soluciones: 1. b, 2. c, 3. d, 4. a, 5. e.

c. cortar, dispararse, valorar, cubrir.
Soluciones: 1. d, 2. a, 3. b, 4. c.

d. cumbre, compromiso, noticias, carné de conducir, apartado, convocatoria.
Soluciones: 1. b, 2. d, 3. a, 4. c, 5. e, 6. f.

e. instancias, digitalizado, oferta de empleo, currículum, desarrollo.
Soluciones: 1. solicitud, 2. numérico, 3. plaza, 4. historial, 5. evolución.

f. Soluciones: 1. obtención de un título, 2. pago por un servicio, 3. atasco, 4. reunión de varias obras.

1. INFORMACIÓN HORARIA (Página 64)

> Información horaria
> Son las tres menos dieciocho minutos. Una hora menos en Canarias. Radio 5, todo noticias. Radio Nacional de España.

Soluciones: 1. Una hora menos. **2.** Todo noticias. **3.** a. 13.42, b. 14.42, c. Dan sólo noticias, d. En una radio nacional. **4.** a. Radio 5, todo noticias, b. Radio Nacional de España.

2. INFORMACIÓN METEOROLÓGICA (Páginas 65-66)

> Información meteorológica
> En las próximas horas, las temperaturas serán muy altas en nuestro país. En este primer fin de semana del verano, vuelven a dispararse los termómetros, sobre todo en el sur de España. A las doce del mediodía, ya tenían 34 grados en Palma de Mallorca y 33 en Sevilla. Las temperaturas van a seguir subiendo y esta noche será muy calurosa en todo el país.

Soluciones: 1. a. Muy altas, b. Y esta noche. **2.** a. En las próximas horas, b. Van a seguir, c. Vuelven a dispararse. **3.** a. Mucho calor, b. A principios de verano, c. En el sur. **4.** a. V, b. F, c. F, d. V, e. F. **5.** temperaturas, grados, calurosa, termómetros. **6.** próximas, serán, altas, primer, vuelven, sobre, sur, doce, mediodía, 34, Palma, 33, seguir, calurosa, país.

3. NOTICIAS (Páginas 67-68)

> Noticias
> Cumbre europea de Sevilla
> Hoy, 21 de junio, con la llegada del verano, arranca en Sevilla la Cumbre de Jefes de Estado y de Gobierno de la Unión Europea y lo hace con un primer compromiso de acuerdo sobre la inmigración ilegal.

Soluciones: 1. a. Cumbre europea, b. Unión Europea, c. la inmigración ilegal. **2.** a. Arranca en Sevilla, b. Jefes de Estado y de Gobierno, c. Compromiso de acuerdo. **3.** a. verano, 21 de junio, b. Cumbre europea, c. inmigración ilegal. **4.** Reunión de personalidades políticas. **5.** a. V, b. F, c. F, d. V. **6.** Hoy, verano, arranca, Cumbre, Unión, compromiso, inmigración ilegal.

4. INFORMACIÓN DE TRÁFICO (Páginas 69-70)

Información de tráfico
¡Hola, muy buenos días! Diversas averías continúan produciendo pequeñas retenciones en dos puntos de nuestras carreteras. En León, en la A6 continúa cortado el carril derecho en sentido A Coruña y en Lleida, en la Nacional 230, en el kilómetro 115, hay retenciones. Circulen con precaución en ambos puntos. Hasta aquí la información de la Dirección General de Tráfico.

Soluciones: 1. En ambos puntos. **2.** en sentido A Coruña, b. hasta aquí, c. diversas averías. **3.** a. Del estado del tráfico, b. Dirección General de Tráfico, c. A varias averías. **4.** tráfico, averías, carreteras, carril, sentido, kilómetro, retenciones, dirección, nacional. **5.** a. diversas, b. produciendo, c. derecho, d. precaución, e. información. **6.** a. Continuar, b. Retenciones, c. Puntos. **7.** a. León, b. A Coruña, c. Lleida. **8.** a. Nacional 230, b. A6. **9.** a. cortado, b. A6, c. Lleida, d. circulemos.

5. PUBLICIDAD (Páginas 71-72)

Publicidad
Lo mejor de México. Una colección exclusiva. Una recopilación en 3 CDS digitalizados con toda la mejor música de México. Llame al seis, cero, dos, ciento noventa, ochocientos noventa (602 190 890). No lo busque en tiendas. No está. Llame ahora mismo y por treinta (30) euros tendrá está auténtica joya que no debe faltar en su discoteca.

Soluciones: 1. a. Una colección exclusiva, b. Llame ahora mismo, c. Faltar en su discoteca. **2.** No está. **3.** a. Música, b. Llamar al teléfono que nos dan, c. Lo mejor de México. **4.** a. Discoteca, b. Recopilación, c. Digitalizados, d. CD. **5.** a. 3, b. 5, c. 2, d. 1, e. 4. **6.** a. exclusivo, b. tiendas, c. México, d. digital, e. tres, f. treinta. **7.** 602 190 890.

6. OFERTAS DE EMPLEO (Página 73)

Ofertas de empleo
Trabaje en casa. Podrá ganar hasta mil quinientos (1.500) euros mensuales. Llámenos al seis, cuatro, siete, cero, cinco, nueve, ocho, cero, seis (647 05 98 06).

Soluciones: 1. a. trabaje en casa, b. quinientos euros. **2.** Llámenos. **3.** a. V, b. F, c. V, d. F, e. V. **4.** 647 05 98 06. **5.** Trabaje en casa. Podrá ganar hasta mil quinientos euros mensuales.

7. OFERTAS DE EMPLEO (Página 74)

> Se necesitan encuestadores para estudios estadísticos. Se valorará experiencia y coche. Llámenos al nueve, cuatro, cuatro, tres, nueve, seis, cuatro, siete, seis (944 39 64 76) o al nueve, cuatro, cinco, dos, seis, ocho, seis, tres, ocho (945 26 86 38), de nueve a catorce horas.

Soluciones: 1. a. Se necesitan encuestadores, b. Para estudios estadísticos. **2.** a. de nueve a catorce. b. experiencia y coche. **3.** a. Encuestadores, b. Para hacer estadísticas, c. Experiencia y coche, d. 9 a 14. **4.** encuestadores, estudios, estadísticos, experiencia. **5.** a. 944 39 64 76, b. 945 26 86 38.

8. OFERTAS DE EMPLEO (Páginas 75-76)

> Multinacional líder en el sector farmacéutico necesita comercial con titulación universitaria, carné de conducir y experiencia comercial. Se ofrece remuneración competitiva, beneficios sociales, coche de empresa y futuro estable con altas posibilidades de desarrollo profesional. Enviar currículum al apartado cuarenta mil setenta y seis (40076). Veintiocho, cero, ochenta (28080) Madrid.

Soluciones: 1. Beneficios sociales. **2.** a. Al apartado, b. Carné de conducir y experiencia, c. Coche de empresa. **3.** a. De una multinacional, b. Un comercial. **4.** a. V, b. V, c. F, d. V, e. F. **5.** a., c., e. **6.** a., b., e., f., g. **7.** Apartado 40076. 28080 Madrid.

9. OFERTAS DE EMPLEO (Páginas 77-78)

> El Ayuntamiento de Gijón necesita cubrir una plaza de biólogo, una de ingeniero técnico industrial y una de arquitecto técnico. Si desean más información pueden consultar las bases de la convocatoria en el Boletín Oficial del Principado de Asturias del 21 de julio. El plazo de presentación de instancias termina el 28 de agosto.

Soluciones: 1. Arquitecto técnico. **2.** a. Presentación de instancias, b. Más información, c. En el Boletín. **3.** a. biólogo, b. ingeniero, c. arquitecto. **4.** a. 3, b. 1, c. 2, d. 4, e. 6, f. 5. **5.** biólogo, ingeniero técnico industrial, arquitecto técnico. **6.** a. F, b. V, c. F, d. V, e. F.

10. SERVICIO DE SOCORRO (Páginas 79-80)

> Servicio de socorro de Radio Nacional de España
> Se ruega a Francisco Javier Bravo Pérez se comunique urgentemente con su familia en Madrid llamando al teléfono noventa y uno, ocho, cuarenta y seis, treinta, diez (91 8 46 30 10), nueve, uno, ocho, cuatro, seis, tres, cero, uno, cero (91 8 46 30 10). Es un aviso para Francisco Javier Bravo Pérez.

Soluciones: 1. a. Se ruega a Francisco Javier, b. Se comunique urgentemente, c. Llamando al teléfono. **2.** Es un aviso. **3.** a. Un aviso urgente, b. A una persona en particular, c. Francisco Javier, d. Bravo. **4.** 91 846 30 10. **5.** a. V, b. V, c. F, d. V, e. F.